ATLAS DE LA
MÉTÉO

QUÉBEC AMÉRIQUE jeunesse

Données de catalogage avant publication (Canada)

Vedette principale au titre : Atlas météo

Comprend un index.

Pour les jeunes de 8 à 12 ans.

ISBN 2-7644-0807-2

I. Météorologie – Encyclopédies pour la jeunesse. I. QA International (Firme). II. Titre.

QC863.5A84 2003   j551.5   C2002-941799-6

L'*Atlas de la météo* fut conçu et créé par **Québec Amérique Jeunesse**, une division de Les Éditions Québec Amérique inc., 329, rue de la Commune Ouest, 3ᵉ étage Montréal (Québec) H2Y 2E1 Canada **T** 514.499.3000 **F** 514.499.3010 **www.quebec-amerique.com**

Nous reconnaissons l'aide financière du gouvernement du Canada par l'entremise du Programme d'aide au développement de l'industrie de l'édition (PADIÉ) pour nos activités d'édition.

Gouvernement du Québec – Programme de crédit d'impôt pour l'édition de livres – Gestion SODEC.

Les Éditions Québec Amérique bénéficient du Programme de subvention globale du Conseil des Arts du Canada. Elles tiennent également à remercier la SODEC pour son appui financier.

Imprimé et relié en Slovaquie.
10 9 8 7 6 5 4 3 2 1   07 06 05 04 03

Directrice éditoriale
Caroline Fortin

Rédactrice en chef
Martine Podesto

Coordonnatrice au contenu
Marie-Anne Legault

Rédactrice
Marie-Claude Ouellet

Designer graphique
Josée Noiseux

Directrice artistique
Anouk Noël

Illustrateurs
Carl Pelletier

Jocelyn Garner
Jean-Yves Ahern
Alain Lemire

Documentation photos
Kathleen Wind
Gilles Vézina

Réviseures-correctrices
Isabelle Allard
Diane Martin

Consultante en météorologie
Ève Christian

Prépresse
Hélène Coulombe

Table des matières

L'ABC du temps

En raison de la position qu'elle occupe par rapport au Soleil, notre planète est la grande responsable des climats et des saisons qui règnent à sa surface. Mais il y a plus... L'atmosphère terrestre, précieuse enveloppe protectrice, est le théâtre des phénomènes météorologiques qui font la pluie... et le beau temps ! Température, vent, humidité et nuages sont autant d'ingrédients qui entrent dans la préparation de notre météo quotidienne.

Une place au soleil

Sans le Soleil qui l'éclaire et la réchauffe, la Terre serait une roche froide, obscure et sans vie... Située à 150 millions de kilomètres du Soleil, notre planète se trouve entre une Vénus brûlante et une Mars glaciale ! La position qu'elle occupe est idéale. Avec une température moyenne de 15 °C, la Terre est le seul astre connu du système solaire qui puisse abriter la vie. Notre planète est une gigantesque sphère légèrement aplatie. En raison de sa forme particulière, toutes ses régions ne sont pas réchauffées aussi intensément par le Soleil. Les pays situés de part et d'autre de la zone équatoriale sont frappés de plein fouet par les rayons du Soleil et jouissent d'un climat chaud. Inversement, les pôles Nord et Sud, de même que les contrées situées près de ces régions polaires, reçoivent des rayons solaires moins directs. Ils bénéficient donc pour leur part d'un climat plus froid.

La Terre

Pôle Nord

Hémisphère Nord

Équateur

Hémisphère Sud

Pôle Sud

Le cycle des saisons

La Terre tourne autour du Soleil dans une course qui dure un an. Pendant son voyage, notre planète n'est pas droite, mais légèrement inclinée. Résultat : le Soleil éclaire et réchauffe plus intensément l'hémisphère Nord ou l'hémisphère Sud, selon la période de l'année. Ce phénomène est à l'origine des saisons. En juillet, l'hémisphère Nord est incliné vers le Soleil : les Nord-Américains profitent de l'été, tandis que les Australiens, dans l'hémisphère Sud, sont en plein hiver ! La situation s'inverse six mois plus tard…

Aux équinoxes de l'automne et du printemps, la nuit et le jour sont d'une durée égale. L'hémisphère Nord reçoit la même quantité de rayonnement solaire que l'hémisphère Sud.

Équinoxe du printemps
(20 ou 21 mars dans l'hémisphère Nord)

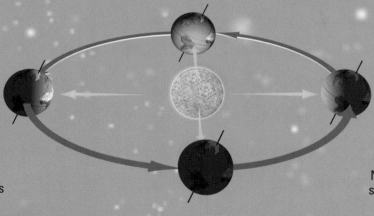

Dans l'hémisphère Nord, le 21 juin correspond généralement au **solstice d'été**. C'est le jour le plus long de l'année, avec le plus d'heures d'ensoleillement.

Le 21 ou le 22 décembre correspond au **solstice d'hiver** dans l'hémisphère Nord. L'ensoleillement est à son minimum, c'est la nuit la plus longue de l'année.

Équinoxe d'automne
(22 ou 23 septembre dans l'hémisphère Nord)

500 km

Un bouclier à toute épreuve

L'air qui nous entoure est rempli de gaz invisibles. Ensemble, ils forment autour de la Terre une enveloppe protectrice que l'on appelle l'atmosphère. L'atmosphère est essentielle à la vie. Elle contient l'oxygène qui nous permet de respirer, mais comporte aussi d'autres gaz indispensables aux animaux et aux plantes, tels l'azote, le dioxyde de carbone, la vapeur d'eau et l'ozone. Comme un bouclier, l'atmosphère aide à bloquer les rayons nocifs du soleil. De plus, elle brûle et détruit les météorites qui se dirigent dangereusement vers la Terre. Enfin, l'atmosphère protège notre planète contre les grands écarts de température. Sans elle, les jours seraient terriblement chauds et les nuits glaciales !

80 km

MÉSOSPHÈRE
(50 à 80 km)
La mésosphère est la couche la plus froide de l'atmosphère. La température peut y descendre au-dessous de -100 °C. Les molécules d'air commencent à se faire rares. Sans bonbonne d'air, on étouffe en quelques minutes…

50 km

TROPOSPHÈRE
(jusqu'à 15 km d'altitude)
C'est dans la troposphère que se produisent la grande majorité des phénomènes météorologiques, comme les nuages, la pluie et les tempêtes.
À mesure qu'on monte dans la troposphère, le nombre de molécules d'air et la température diminuent.
Ainsi, au sommet des plus hautes montagnes, non seulement il fait très froid, mais il est difficile de respirer, car l'air y est plus rare.

Ballon-sonde

Couche d'ozone

Avion supersonique

15 km

Avion　　　　**Mont Everest**

Nuages

EXOSPHÈRE
(à partir de 500 km)
L'exosphère est une couche presque vide. À cette hauteur,
une molécule d'air pourrait faire le tour complet de la
Terre avant d'en rencontrer une autre !

Léger comme l'air ?

Même si nous avons l'impression
qu'il ne pèse absolument rien,
l'air a un poids : c'est la pression
atmosphérique. L'être humain
supporte sur ses épaules
plusieurs centaines de
kilogrammes d'air (environ
une tonne), soit l'équivalent du
poids d'une voiture ! Si nous ne
nous sentons pas écrasés par
cette pression, c'est que
notre corps s'est
merveilleusement adapté…

Voir activité p. 72

Météorite (étoile filante)

THERMOSPHÈRE
(80 à 500 km)
La thermosphère est la couche
la plus chaude de l'atmosphère.
Parce qu'elle absorbe la majorité
des rayons du soleil, sa température
peut dépasser 1000 °C ! Certains
météorites qui se dirigent vers
la Terre sont brûlés dans la
thermosphère. Ils illuminent alors
le ciel nocturne. Ces météorites de
feu sont appelés « étoiles filantes »
bien qu'ils n'aient absolument rien
à voir avec les vraies étoiles !

Aurore polaire (aurore boréale ou australe)
Les aurores polaires sont des phénomènes spectaculaires
de lumières miroitantes et colorées. Elles apparaissent
fréquemment dans le ciel des régions polaires.

Le trou dans la couche d'ozone

La Terre est entourée d'une couche d'ozone. L'ozone est un gaz qui
absorbe la plupart des rayons nocifs du soleil, responsables de
certains cancers. Il y a 20 ans, des scientifiques ont constaté
que la couche d'ozone au-dessus de l'Antarctique
s'amincissait. C'est ce qu'on appelle le « trou » dans la
couche d'ozone. La destruction du « bouclier » d'ozone
a été causée en grande partie par les chlorofluorocarbones ou CFC, des produits qui étaient employés
notamment dans les réfrigérateurs et les bombes
aérosol. Bien que la production de CFC ait beaucoup
diminué, la couche d'ozone s'atténue toujours, car les CFC
présents dans l'atmosphère restent actifs durant des dizaines d'années.

STRATOSPHÈRE
(15 à 50 km)
À mesure qu'on monte
dans la stratosphère, la
température augmente.
C'est en raison de la
présence de l'ozone, un gaz
qui produit de la chaleur
lorsqu'il absorbe les rayons
ultraviolets du soleil.

V'là l'bon vent !

Il agite les drapeaux, fait danser nos cheveux et pousse les voiliers. Pour comprendre d'où vient le vent, il suffit de savoir que l'air chaud est plus léger que l'air froid. Telle une grande roue de fête foraine, le vent chaud s'élève, cédant sa place à de l'air plus froid. Cet air froid, situé près du sol, en se réchauffant graduellement s'élèvera à son tour, pendant que l'air chaud au-dessus, en se refroidissant, deviendra plus lourd et descendra. C'est cet important brassage de l'air qui est à l'origine du vent. Les grands vents qui voyagent à la surface de notre planète sont appelés vents dominants. Ces vents sont constants : ils soufflent généralement avec la même force et ne changent jamais de direction. Ils sont le résultat des grands échanges d'air chaud et d'air froid qui s'opèrent entre les régions chaudes et les régions froides de notre planète.

Coup de chaleur !

Le chinook est un vent local chaud et sec qui souffle des montagnes Rocheuses vers les plaines d'Amérique du Nord. L'air chaud qu'il transporte est responsable des hausses brusques de température. Le 22 janvier 1943, après le passage du chinook sur les montagnes Noires (Black Hills) dans le Dakota du Sud, le mercure est passé de -20 °C à 7 °C en seulement 2 minutes !

Les vents locaux

Contrairement aux vents dominants, les vents locaux soufflent sur de petites régions et changent régulièrement de direction. Le vent qui souffle sur les régions côtières en est un bon exemple. Le jour, sous l'action du soleil, la terre se réchauffe plus vite que l'eau. L'air chaud au-dessus des terres s'élève. Ce faisant, il est immédiatement remplacé par de l'air plus frais provenant de la mer. Ce mouvement d'air crée la brise de mer.

La nuit, le temps est plus frais et l'inverse se produit. La terre perd sa chaleur plus vite que l'eau. L'air plus chaud, qui se trouve au-dessus de l'eau, s'élève et est remplacé par de l'air froid provenant de la terre. Le vent change donc de direction et crée la brise de terre.

Air chaud

Air froid

Brise de mer

Air chaud

Air froid

Brise de terre

Eau et météo

L'eau se trouve partout : dans les océans, les lacs, les rivières, et même sous la terre. Elle est aussi abondante dans l'atmosphère, où elle existe sous la forme d'un gaz invisible appelé « vapeur d'eau ». Les nuages, pour leur part, ne font pas exception : ils contiennent des tonnes du précieux liquide, entreposé sous forme de milliards de gouttelettes et de cristaux de glace. Gigantesques réservoirs d'eau, les nuages sont responsables du temps quotidien. Chaque jour, et en divers points de la Terre, l'eau qu'ils contiennent quitte l'atmosphère et retombe sur notre planète, empruntant toutes sortes de visages. Ce sont les précipitations. Si elles ravissent et émerveillent souvent, ces précipitations peuvent parfois créer des dégâts considérables, allant même jusqu'à bouleverser nos habitudes de vie.

Comment se forme un nuage ?

Grâce à la chaleur du soleil, l'eau des cours d'eau, des lacs, des mers et des océans se transforme en vapeur d'eau et monte dans l'atmosphère. En hauteur, l'air est plus froid. La vapeur d'eau se change alors en minuscules gouttelettes qui forment les nuages… Les gouttelettes d'eau s'assemblent et grossissent. Lorsqu'elles sont trop lourdes pour flotter dans le nuage, elles tombent sur la terre, généralement sous forme de pluie.

Voir activités p. 74-75

Il pleut à boire debout !

L'endroit le plus pluvieux du monde se trouve au mont Waialeale, à Hawaii. Chaque année, il y tombe en moyenne près de 12 mètres d'eau, soit la hauteur d'un immeuble de 4 étages !

Les formes de précipitations

Les précipitations dépendent du type de nuage, mais aussi des couches d'air
que la goutte ou le cristal traverse avant d'atteindre le sol.
Voici certaines formes de précipitations :

Bruine
Diamètre inférieur
à 0,5 mm

Les nuages qui produisent la bruine
touchent presque le sol. Les minuscules
gouttes d'eau qu'ils laissent tomber ne
créent pratiquement pas d'accumulation
au sol.

Pluie
Diamètre moyen
de 2 mm

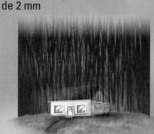

La pluie provient habituellement des
nimbostratus, des nuages épais et
gris qui recouvrent tout le ciel.
Une pluie modérée laisse jusqu'à
7,5 mm d'accumulation d'eau au sol
en une heure.

Pluie forte
Diamètre maximum
de 5 mm

La pluie forte provient souvent
d'un énorme nuage noir appelé
cumulonimbus. Une pluie forte laisse
plus de 7,5 mm d'accumulation d'eau
au sol en une heure.

Pluie verglaçante
Son diamètre varie

La pluie verglaçante se forme lorsque
des cristaux de glace rencontrent
une épaisse couche d'air chaud et
fondent. En tombant sur le sol glacé,
ils gèlent instantanément pour
former le verglas.

Grésil
Diamètre inférieur
à 5 mm

Pour qu'il y ait grésil, les gouttelettes
de pluie doivent traverser une mince
couche d'air chaud suivie d'une
couche d'air froid. En traversant l'air
froid, leur enveloppe extérieure gèle.
Ces petits grains forment le grésil.

Neige
Diamètre entre
5 et 25 mm

En hiver, si les cristaux de glace ne
rencontrent pas d'air chaud, ils ne
fondent pas et tombent sur terre
sous forme de neige.

Voir activité p. 75

Merveilleux bouquet de nuages...

Celui-ci ressemble à un cygne, celui-là à un mouton et un autre fait penser à une appétissante barbe à papa ! Si certains nous apparaissent mignons et légers, d'autres nous semblent énormes et écrasants. À eux seuls, les nuages ont le pouvoir de rendre le ciel joyeux ou triste. S'ils prennent toutes sortes de formes et de grosseurs, ce n'est pas par hasard. Chaque nuage est associé à une condition météorologique. Les reconnaître permet de comprendre le temps qu'il fait et parfois même de prévoir le temps qu'il fera.

Cirrus
Les cirrus sont des nuages fins et délicats. Ils font penser à de minces cheveux blancs qui volent au vent. Associés au beau temps, ils apparaissent les premiers dans le ciel, avant les cirrostratus et les cirrocumulus.

Altocumulus
Les altocumulus ressemblent à de petits rouleaux gris ou blancs, placés en rangées parallèles. Ils ne produisent généralement pas de précipitations, sauf quand ils sont associés aux altostratus.

Cirrostratus
Les cirrostratus forment un voile blanc transparent qui couvre en partie ou totalement le ciel. Ils dessinent souvent un halo autour du Soleil. Leur arrivée annonce des précipitations dans une douzaine d'heures.

Nimbostratus
Les nimbostratus forment une épaisse couche de nuages gris foncé qui recouvre le ciel et cache complètement le soleil. Leur base est souvent constituée de nuages d'aspect déchiqueté. Les nimbostratus apportent de la pluie ou de la neige qui dure des heures et parfois même une journée entière.

Stratocumulus
Les stratocumulus sont de gros rouleaux gris ou blancs. Malgré leur allure menaçante, ces nuages donnent rarement des précipitations et, quand elles se produisent, c'est seulement sous forme de bruine. Lorsqu'ils sont dispersés, ils laissent entrevoir le bleu du ciel. Ils se transforment souvent en nimbostratus lorsque la base, généralement ondulée, devient uniforme.

Stratus
Les stratus sont des nuages très bas, plutôt gris, dont la base est uniforme. Associés à un temps triste, ils forment parfois un brouillard au-dessus du sol. Les stratus peuvent être accompagnés de bruine, de faible pluie, de cristaux de glace ou de grains de neige.

TROIS ÉTAGES DE NUAGES

Les nuages les plus hauts dans le ciel (au-dessus de 6 km d'altitude) regroupent les cirrus, les cirrostratus et les cirrocumulus. Les altostratus et les altocumulus sont des nuages de hauteur moyenne (2 à 6 km). Les nuages les plus bas (en dessous de 2 km) comprennent les stratus, les nimbostratus, les stratocumulus, les cumulus et les cumulonimbus. Le sommet de certains de ces nuages, comme les nimbostratus, les cumulus et les cumulonimbus, peut s'étendre sur les étages supérieurs.

Cirrocumulus

Les cirrocumulus ressemblent à de petites boules de coton blanc serrées les unes contre les autres. Ils donnent au ciel un visage ridé. Ils se présentent souvent avec les cirrostratus. Ensemble, ils annoncent généralement des précipitations pour le lendemain.

Altostratus

Les altostratus forment un voile plus grisâtre et plus épais que les cirrostratus. Couvrant totalement ou partiellement le ciel, ils peuvent laisser entrevoir le soleil. En leur présence, on peut s'attendre à des averses sous peu.

Cumulus

Les cumulus sont de jolis nuages blancs qui ressemblent à du coton. Dispersés dans le ciel bleu, ce sont des nuages de beau temps. Néanmoins, s'ils grandissent par le haut, ils peuvent devenir des cumulonimbus et apporter des précipitations qui dureront une heure ou deux.

Cumulonimbus

Les cumulonimbus s'élèvent très haut dans le ciel. Avec leur base noire inquiétante, ce sont de véritables usines à tempête. Ils sont responsables des orages, des fortes averses de pluie ou de neige, de la grêle, des vents violents et même des tornades.

Une montagne russe dans un nuage...

En 1959, lors d'une tempête, un pilote d'avion en détresse dut sauter en parachute à travers un cumulonimbus. Les forts vents ascendants et descendants du nuage l'ont alors ballotté de haut en bas pendant une heure avant qu'il puisse enfin sortir du nuage et atterrir !

6 km

2 km

Des hauts et des bas

Le Soleil est le moteur de la température sur notre planète. Selon notre distance de l'équateur et selon les saisons, nous recevons plus ou moins de sa chaleur. Mais d'autres facteurs influencent la température à la surface de la Terre. En montagne, par exemple, l'air est généralement plus frais qu'au niveau de la mer. Aussi, les régions côtières possèdent généralement un climat doux toute l'année. De leur côté, les contrées situées à l'intérieur des continents connaissent des variations de température bien marquées entre l'été et l'hiver. Le vent et l'humidité influencent grandement notre perception de la température, sans toutefois affecter le thermomètre. Généralement, plus le vent est fort, plus la température semble se rafraîchir. L'humidité, de son côté, paraît réchauffer ou refroidir le temps, selon les saisons… Ainsi, une augmentation de l'humidité de l'air nous fait suffoquer l'été, mais frissonner l'hiver !

Et la nuit tomba...

Normalement, la température augmente le jour, lorsque les rayons du soleil réchauffent la terre, et baisse la nuit, en l'absence de lumière solaire. Il arrive parfois que cette chute de température soit « saisissante »… Dans la nuit du 23 au 24 janvier 1916, au Montana (É.-U.), la température a subi une dégringolade record de 56 °C, passant de 7 °C à -49 °C !

Les trois échelles de température

Le thermomètre tel qu'on le connaît a été inventé au début des années 1700 par Daniel G. Fahrenheit, qui a d'ailleurs donné son nom à son système de mesure. Le degré zéro Fahrenheit correspondait à la température la plus froide enregistrée à l'époque. Aujourd'hui, ce système est encore utilisé, principalement aux États-Unis.

Toutefois, la plupart des pays ont adopté les degrés Celsius, échelle créée par Anders Celsius en 1742. Dans ce système de mesure, le degré 0 équivaut au point de congélation de l'eau et le degré 100 à son point d'ébullition. Les scientifiques préfèrent la méthode de William Thomson Kelvin. Selon eux, le zéro de Kelvin (-273 °C/-459 °F), appelé zéro absolu, est la température la plus froide qu'il soit possible d'atteindre.

Échelle Celsius — Échelle Fahrenheit — Échelle Kelvin

Point d'ébullition 100 °C : 100 °C / 212 °F / 373 K

Température la plus haute enregistrée 58 °C Aziziyah, Libye

Point de congélation 0 °C : 0 °C / 32 °F / 273 K

Température la plus basse enregistrée -89 °C Vostok, Antarctique

Quand le temps se déchaîne

Le vent, déchaîné, s'enroule en un tourbillon dévastateur qui détruit tout sur son passage... La pluie, torrentielle, fait sortir la rivière de son lit et inonde des paysages. Une avalanche de grêlons destructeurs s'abat sur la campagne, détruisant des récoltes complètes... Les manifestations météorologiques extraordinaires bouleversent profondément nos vies, sèment le désordre et paralysent parfois des populations entières.

Des tourbillons destructeurs

Elles fracassent les vitres, déracinent les arbres, arrachent les toits des maisons, font s'envoler les voitures, les trains et même les animaux et les êtres humains. Les tornades sont les phénomènes météorologiques les plus violents de la Terre. Avec leur énorme entonnoir nuageux sorti tout droit d'un cumulonimbus, les tornades aspirent tout sur leur passage ! Leurs vents d'une violence inouïe tourbillonnent dans un vacarme semblable au rugissement d'un avion à réaction… Accompagnées d'orages violents, de pluie et souvent de grêle, les tornades peuvent balayer des centaines de kilomètres en quelques minutes à peine… et causer des dommages irréparables.

Cumulonimbus
Toutes les tornades naissent d'un nuage d'orage, le cumulonimbus.

Buisson
Le buisson est la partie du tuba qui touche le sol. Il est formé du nuage de poussières et de débris transportés par la tornade.

Tuba
Le tuba constitue l'entonnoir de la tornade. Il agit comme un aspirateur géant.

Comment naissent les tornades ?

Heureusement, les cumulonimbus ne produisent pas tous des tornades ! Il faut que des conditions bien précises soient réunies pour que naissent ces violentes tempêtes.

Cumulonimbus — Air froid

Air chaud

Tornade

1. Un vent froid rapide et de haute altitude croise un vent chaud et lent situé près du sol. Les deux vents s'« enroulent » l'un autour de l'autre et forment un rouleau d'air géant dans le cumulonimbus.

2. L'air chaud qui provient du sol monte vers le nuage et pousse sur le rouleau d'air qui bascule à la verticale.

3. L'entonnoir qui se forme à la base du nuage crée une succion qui aspire rapidement l'air chaud en provenance du sol. L'entonnoir de vents tourbillonnants s'allonge de plus en plus, touche le sol et devient une tornade.

Quand le vent tourne…

Les tornades sont difficiles à prévoir et impossible à arrêter. Comme l'alerte est généralement donnée quelques minutes seulement avant leur passage, mieux vaut savoir comment réagir ! Le sous-sol d'une maison, une petite salle de bain ou une garde-robe constituent des cachettes sécuritaires. À l'extérieur, un fossé ou une simple dépression du sol offriront d'excellents abris.

Avec près de 1000 tornades par année, le pays le plus touché par ces catastrophes naturelles est les États-Unis. Les grandes plaines américaines, comprenant le Texas, l'Oklahoma, le Kansas et le Nebraska, réunissent les conditions idéales à la formation des tornades puisque les courants d'air chaud et humide provenant du golfe du Mexique y rencontrent l'air froid en provenance du Canada.

L'échelle de Fujita

Toutes les tornades n'ont pas la même puissance. Certaines se contentent de tordre des antennes de télévision, tandis que d'autres font s'effondrer les édifices ! On les classifie d'après l'ampleur des dommages qu'elles causent. Cette classification est appelée l'échelle de Fujita, du nom d'un expert en tornades, Théodore Fujita.

F-0 64 à 116 km/h
Antennes de télévision tordues, cheminées et panneaux de signalisation endommagés, branches d'arbres cassées.

F-1 117 à 180 km/h
Tuiles de maisons soulevées, vitres fracassées, maisons mobiles renversées, petits arbres déracinés.

F-2 181 à 252 km/h
Maisons mobiles démolies, gros arbres déracinés, automobiles déplacées, bâtiments de bois détruits.

F-3 253 à 330 km/h
Toits et certains murs de maisons écroulés, gros véhicules renversés.

F-4 331 à 417 km/h
Maisons rasées, automobiles, camions et wagons de trains soulevés, objets d'une centaine de kilogrammes emportés dans les airs.

F-5 418 à 509 km/h
Maisons arrachées de leurs fondations et déplacées sur de grandes distances, bâtiments en béton armé endommagés, automobiles projetées dans les airs.

Un sommeil de plomb

En 1981, une tornade souleva un bébé de sa poussette et le fit planer à 15 m au-dessus du sol. La tornade le déposa ensuite, tout en douceur, 90 m plus loin, sans même le réveiller.

Mystérieux voile

Les bancs de brume et de brouillard qui naissent à la surface de la Terre nous offrent des paysages d'une beauté saisissante. Mais ces voiles blancs qui confèrent aux décors des allures irréelles sont, en réalité, des nuages... qui frôlent le sol ou l'eau ! Comme les nuages, la brume et le brouillard sont composés de minuscules gouttes d'eau flottant dans l'air. Sur les mers, les lacs et les cours d'eau, les grands bancs de brouillard représentent un danger réel pour les marins et les plaisanciers. Sur terre, ils masquent les routes et les ponts, perturbant sérieusement la circulation automobile…

Condensation

L'air contient de l'eau sous la forme d'un gaz invisible, appelé vapeur d'eau. La quantité de vapeur d'eau dans l'air change avec la température. L'air chaud peut contenir plus de vapeur d'eau que l'air froid. Lorsque l'air refroidit et ne peut contenir plus de vapeur d'eau qu'il n'en a déjà, on dit qu'il a atteint le point de rosée. La vapeur d'eau contenue dans l'air se transforme alors en gouttelettes d'eau visibles qui deviennent la rosée, la brume ou le brouillard. Ce phénomène s'appelle la condensation.

Brume

Brouillard

Nuages de brume et de brouillard

Les bancs de brume et de brouillard naissent de la condensation de la vapeur d'eau dans l'air. Le nuage créé par le brouillard réduit la visibilité à moins de 1 km, et parfois même à quelques mètres seulement. Lorsque les gouttelettes qui le composent sont plus dispersées, le brouillard prend le nom de brume. La visibilité est alors comprise entre 1 et 5 km.

Un brouillard à couper au couteau...

Les régions situées en bordure des océans sont parmi les plus touchées par la brume et le brouillard. Avec une moyenne de 206 jours de brouillard par année, Argentia, à Terre-Neuve, est l'un des endroits les plus brumeux du monde !

Rosée

La rosée se forme lorsque l'air situé tout près du sol se refroidit jusqu'au point de rosée et se condense. Ce phénomène se produit généralement à la fin d'une nuit claire et calme. Au contact de l'herbe froide ou d'autres objets qui se trouvent sur le sol, la vapeur d'eau se condense et se dépose sous forme de jolies perles liquides qui scintillent au soleil.

Déluges désastreux

Une pluie diluvienne s'abat sur le village. Un véritable torrent s'écoule à la surface du sol et se jette dans la rivière qui se gonfle d'eau. Bientôt, celle-ci déborde. L'inondation sème le désordre. Ici et là, des meubles et des débris de toutes sortes flottent, emportés à la dérive. Des automobilistes, surpris par la crue des eaux, sont prisonniers de leur voiture. Les maisons se remplissent de boue. L'eau potable devient tellement sale qu'elle ne peut plus être utilisée… Non seulement les inondations causent-elles d'importants dommages matériels, mais elles entraînent de nombreuses pertes de vie, plus importantes encore que celles causées par les ouragans, les tornades ou la foudre.

Le sol s'effondre !
Souvent, les pluies torrentielles qui tombent à flanc de montagne provoquent des glissements de terrain. Sous l'effet de l'eau qui s'infiltre dans le sol, une masse de boue et de roches se détache de la montagne et dévale la pente à toute allure. Résultat : des routes barrées, des arbres déracinés et plusieurs maisons détruites.

Digue
Une digue est une barrière construite le long d'un cours d'eau. Son rôle est de freiner les débordements d'eau pour protéger les terrains environnants.

Voiture à la dérive !

Un peu moins d'un mètre d'eau suffit pour que les voitures se mettent à flotter. Lorsque le courant est fort, c'est la catastrophe ! Il peut entraîner de gros objets, comme les voitures, sur de très grandes distances !

Spectacles « sons et lumières »

Le ciel est noir comme de l'encre… Des éclairs éblouissants déchirent le ciel, qui semble s'ouvrir dans un rugissement menaçant… Bien qu'il soit terrifiant, l'orage est l'un des phénomènes naturels les plus courants. En effet, la terre est frappée par l'éclair une centaine de fois par seconde ! Les orages prennent naissance dans les gigantesques cumulonimbus qu'on retrouve dans le ciel au cours des chaudes journées d'été. Le spectacle qu'ils nous offrent est un événement électrique d'une puissance sans égale. L'énergie générée par un orage peut mettre le feu aux maisons, faire naître des incendies de forêt, provoquer des pannes d'électricité et endommager les avions. Voyageant à travers les fils électriques, les éclairs peuvent également endommager les ordinateurs. Les régions tropicales, très humides, sont les plus souvent touchées par les orages. En 1916, la ville de Bogor, en Indonésie, a connu 322 jours d'orage, soit l'équivalent de six jours par semaine !

Électrisant !

Un seul éclair peut produire assez de courant pour faire fonctionner 8000 grille-pain simultanément !

Qu'est-ce que le tonnerre ?
Sous l'effet de l'intense chaleur dégagée par l'éclair (jusqu'à 30 000 °C), l'air « explose » littéralement. Ce mouvement brusque de l'air autour de l'éclair produit un son : c'est le tonnerre.

Comment se forme l'éclair ?

Les puissants courants d'air des cumulonimbus produisent un remue-ménage dans le nuage. Les gouttelettes et les cristaux de glace qui s'y trouvent se frottent et s'entrechoquent, créant ainsi de minuscules particules électriques. Il existe deux types de particules électriques : certaines sont chargées positivement et d'autres négativement. Les particules de charges opposées s'attirent. C'est l'attraction entre ces particules qui est à l'origine de l'éclair. L'illustration suivante montre le mouvement d'un éclair entre un nuage et le sol.

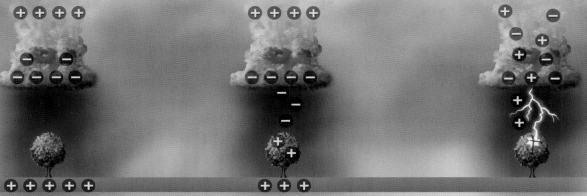

1. Dans le cumulonimbus, les charges positives sont regroupées au sommet du nuage et les négatives, à sa base. Des charges positives se rassemblent au sol, sous le nuage.

2. Les charges négatives à la base du nuage sont attirées par les charges positives du sol. En se déplaçant les unes vers les autres, elles créent une étincelle invisible.

3. La rencontre des deux étincelles invisibles forme une sorte de canal qui facilite la remontée des particules positives du sol vers le nuage. Cette remontée provoque l'apparition de l'éclair.

Tous aux abris !
Lorsqu'un orage éclate, vaut mieux se réfugier rapidement à l'intérieur d'une maison ou d'une voiture aux fenêtres fermées. Les gens qui se trouvent à l'extérieur pendant un orage courent un grand risque, car la puissance des décharges électriques est telle qu'elle peut blesser sérieusement et parfois même tuer sur le coup ! Néanmoins, aussi surprenant que cela puisse paraître, quatre personnes sur cinq survivent au choc de l'éclair !

Tempêtes de neige

Villes ensevelies

Alors que quelques milliards d'êtres humains ne verront jamais la neige, certaines villes de l'hémisphère Nord comme Montréal, Chicago ou Sapporo en reçoivent des millions de tonnes chacune tous les hivers ! Lorsqu'une grande quantité de neige tombe en peu de temps, c'est la tempête ! Les tempêtes de neige peuvent provoquer la fermeture des routes et des aéroports, rendant les déplacements difficiles. Le poids des accumulations peut endommager les toits des maisons, les arbres et les lignes électriques. Les grandes tempêtes de neige se produisent lorsque le bon type de nuage se forme, ce qui nécessite une température hivernale près du point de congélation, combinée à du vent et à une humidité de l'air élevée. Lorsqu'une tempête de neige continue pendant au moins trois heures, avec des vents soufflant à 56 km/h ou plus et une visibilité réduite à 400 mètres ou moins, la tempête de neige prend le nom de blizzard.

Une avalanche venue du ciel

C'est au mont Shasta, en Californie, qu'il tomba la plus grande quantité de neige en une seule tempête. Entre le 13 et le 19 février 1959, la région reçut 4,80 mètres de neige, soit l'équivalent de la hauteur moyenne d'une maison à un étage !

La température et la forme des flocons

Point de congélation
L'eau gèle à 0 °C

0 °C

Plaquette mince

-3 °C

Aiguille

-6 °C

Colonne

-10 °C

Plaquette découpée

-12 °C

Étoile

-16 °C

Plaquette découpée

-22 °C

Colonne

Joyaux de glace

Il n'y a pas deux flocons de neige parfaitement identiques. Et pour cause : un seul flocon est composé de milliers de cristaux de glace qui s'assemblent d'une façon unique. Les flocons peuvent avoir deux formes de base : en étoile ou en aiguille. C'est la température et l'humidité de l'air qui déterminent quelle forme ces joyaux de glace adopteront. Cependant, tous les cristaux ont un point commun : ils ont 6 côtés. Cette structure en hexagone reflète la façon dont les molécules d'eau s'assemblent lorsqu'elles gèlent.

Un paysage de glace

La vie semble s'arrêter, immobilisée sous un scintillant manteau de glace de plusieurs centimètres d'épaisseur. Malgré sa beauté, la pluie verglaçante est dangereuse. Les rues et les trottoirs deviennent aussi lisses et glissants que des patinoires. Lorsqu'elles durent plusieurs jours, les tempêtes de verglas sont sans doute les événements météorologiques les plus dévastateurs de l'hiver ! Les lignes de transport d'électricité cèdent, laissant plusieurs foyers sans lumière et sans chauffage… Dans la forêt, le poids de la glace casse les branches de milliers d'arbres. Aussi, certains animaux sauvages peuvent mourir de faim, car les plantes dont ils se nourrissent sont emprisonnées dans la glace.

La grande tempête de 1998

En janvier 1998, une tempête de verglas a durement touché l'est du Canada et la Nouvelle-Angleterre. En six jours à peine, il est tombé presque 10 cm de pluie verglaçante ! Bilan : plusieurs pylônes et poteaux électriques ont cédé, plongeant 4 millions de personnes dans le noir et le froid. Dans certaines régions, la panne a duré 5 semaines !

Comment se forme la pluie verglaçante ?

La formation de la pluie verglaçante, aussi appelée verglas, exige des conditions particulières. La couche d'air située juste au-dessus du sol doit être froide, c'est-à-dire inférieure au point de congélation (0 °C). Cette couche d'air doit être surmontée d'une masse d'air chaud (au-dessus de 0 °C), immédiatement suivie d'une autre couche d'air froid. Voici donc ce qui se passe.

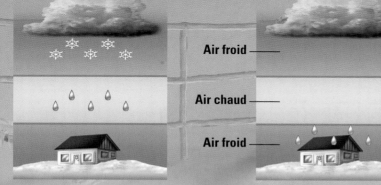

Air froid

Air chaud

Air froid

1. La neige qui tombe des nuages traverse une masse d'air chaud et se transforme en pluie.

2. En traversant la couche d'air froid près du sol, les gouttes de pluie se refroidissent mais ne gèlent pas, même si elles sont plus froides que le point de congélation. On dit alors qu'elles sont surfondues.

3. Les gouttes de pluie entrent en contact avec le sol ou tout autre objet dont la température est inférieure à 0 °C. Elles gèlent alors presque instantanément et forment le verglas.

Quand le ciel nous tombe sur la tête

Elle cabosse les voitures et les toits des maisons, fait voler les vitres en éclats et détruit des récoltes entières… Avec ses billes de glace qui mitraillent le sol à plus de 100 km/h, la grêle est sans doute le type de précipitation le plus destructeur qui soit ! Il grêle rarement dans les pays chauds, car les grêlons y fondent avant d'atteindre le sol. En revanche, le phénomène est fréquent dans les régions tempérées, surtout durant le printemps et l'été. La grêle sévit alors par temps orageux et très humide, lorsque les courants d'air sont suffisamment forts pour supporter les grêlons qui se forment dans les nuages. Le centre de l'Amérique du Nord est particulièrement touché par les tempêtes de grêle. Au Colorado, en 1984, une tempête a laissé les habitants de Denver avec des grêlons… jusqu'aux genoux !

Une pluie de projectiles

En général, un grêlon a la taille d'un pois, mais certains sont gros comme des pamplemousses. À cette taille, ils se transforment en véritables boulets et peuvent blesser les humains et les animaux. Le plus gros grêlon recensé aux États-Unis avait la taille d'un melon !

Comment se forment les grêlons ?

La grêle se forme dans les nuages cumulonimbus, à partir de gouttelettes d'eau glacée, transportées au sommet des nuages par de forts courants d'air. L'illustration suivante montre la formation d'un grêlon.

  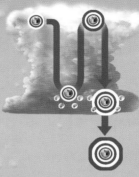

1. Transportée par les courants d'air descendants (dirigés vers le bas), une goutte d'eau glacée descend dans la partie basse et plus chaude du nuage. Là, elle se couvre d'une couche de glace transparente, provenant des gouttelettes d'eau environnantes : le grêlon prend forme.

2. Soulevé par les courants ascendants (dirigés vers le haut), l'embryon de grêlon remonte vers le sommet du nuage. Là-haut, l'air glacé fait congeler instantanément les gouttelettes d'eau qui se collent au grêlon. Il s'entoure alors d'une couche de glace opaque qui le fait grossir.

3. Après plusieurs aller-retour entre le haut et le bas du nuage, le grêlon se retrouve constitué de plusieurs couches de glace. Quand il devient trop lourd pour être supporté par les courants d'air, le grêlon tombe au sol.

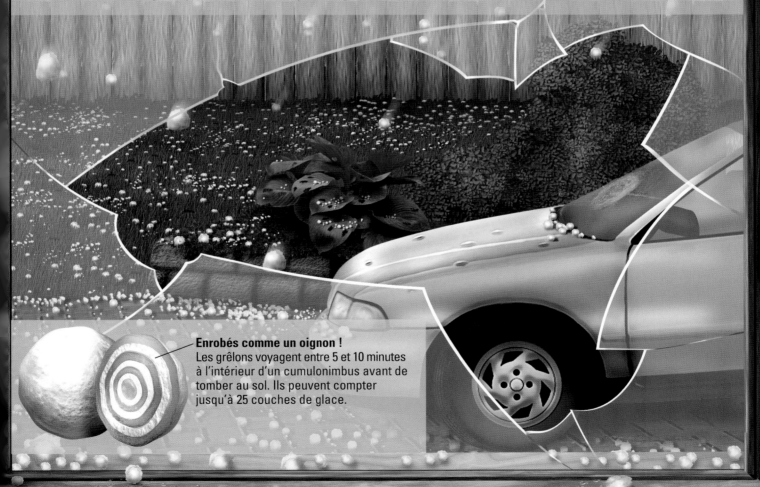

Enrobés comme un oignon !
Les grêlons voyagent entre 5 et 10 minutes à l'intérieur d'un cumulonimbus avant de tomber au sol. Ils peuvent compter jusqu'à 25 couches de glace.

D'un extrême à l'autre

Le climat de la Terre est loin d'être partout le même ! La température, les vents et les précipitations de pluie ou de neige varient d'une région à l'autre. Avec une chaleur torride qui peut atteindre plus de 50 °C et des vents d'air chaud et sec, les 48 millions de kilomètres carrés de déserts chauds de la planète offrent des conditions très hostiles à la vie. Les pôles Nord et Sud de la Terre, pour leur part, sont très faiblement réchauffés par les rayons du soleil. Le climat y est extrêmement froid et sec. Les blizzards les plus puissants de la planète y soufflent, balayant parfois le sol à plus de 300 km/h.

Peuples des déserts
Les habitants des déserts vivent souvent regroupés autour des oasis. Hommes, femmes et enfants portent habituellement de longues robes amples qui les protègent des rayons cuisants du soleil et permettent à la sueur de s'évaporer facilement. Grâce à leur teint foncé, ces peuples jouissent d'une bonne protection contre le soleil : la mélanine noire, un pigment présent en grande quantité dans leur peau, aide à filtrer les rayons ultraviolets nocifs.

Peuples du froid

Très peu d'êtres humains habitent les déserts froids de la planète. Toutefois, quelques courageux, comme les Inuits de l'Arctique, y ont élu domicile à l'année. Pour survivre dans ces régions inhospitalières, les représentants de ce peuple du Nord se vêtent de fourrures épaisses. Leur corps est aussi conçu de manière à résister au froid : leur silhouette courte et trapue offre un moins grand contact avec l'air de l'Arctique. Le corps garde ainsi un maximum de chaleur !

Voir activité p. 71

Des climats records

Le site de Vostok, situé en plein cœur de la calotte glaciaire antarctique, est l'endroit le plus froid de la Terre; le 21 juillet 1983, on y a enregistré une température de -89 °C !

La ville d'Aziziyah, en Libye, détient le record de température maximale de la planète; le 13 septembre 1922, il y a fait près de 58 °C !

La pluie : une denrée rare

Alors que la forêt tropicale humide d'Amérique du Sud reçoit jusqu'à 3 m de pluie par année, certains déserts peuvent demeurer complètement secs pendant des années ! En 1971, le désert d'Atacama, au Chili, a reçu sa première pluie en 400 ans ! C'est l'endroit le plus sec du monde !

Un long voyage

La Chine est l'un des pays les plus durement touchés par les tempêtes de poussière. Transportés sur de longues distances, non seulement à l'intérieur de la Chine mais à travers d'autres pays, les nuages de poussière peuvent parcourir près de la moitié du globe et parvenir aussi loin qu'en Amérique.

Comment se forme un nuage de sable ou de poussière ?
À cause de l'ardeur du soleil, le sol devient brûlant. L'air situé juste au-dessus du sol se réchauffe à son tour, puis s'élève. Ce mouvement crée parfois de puissants courants d'air capables de soulever de grandes quantités de sable ou de poussière. Résultat : un nuage de particules se forme près du sol. Graduellement, le nuage grossit et s'épaissit, réduisant considérablement la visibilité.

Autant en emporte le vent

Des vents violents balaient le sol et emportent les grains de sable qui s'élèvent jusqu'à 3000 mètres dans le ciel. Cet immense nuage peut voyager durant des jours, sur des milliers de kilomètres, traversant même parfois les océans ! Les tempêtes de sable se produisent habituellement dans les déserts. Mais elles peuvent aussi survenir dans des régions où le sol a été rendu poussiéreux en raison d'une grande sécheresse, combinée à une utilisation abusive de la terre pour l'élevage et l'agriculture. Elles sont alors appelées tempêtes de poussière. Le nuage de tempête rend le ciel si obscur que l'on doit parfois tenir une lampe directement devant son visage pour y voir clair ! Les fines particules s'infiltrent partout : dans les maisons, les vêtements et même dans la nourriture. Transportées par de forts vents, elles fouettent la peau, pénètrent dans les yeux, le nez et la bouche, causant parfois des torts irréparables aux poumons !

Une « tornade » de poussière
Des tourbillons de poussière se forment souvent dans les régions arides comme l'Australie, le Moyen-Orient et le sud-ouest des États-Unis. Bien qu'ils ressemblent à des tornades miniatures, leurs effets sont beaucoup moins dévastateurs. Ces tourbillons ne durent généralement que quelques minutes et dépassent rarement 300 mètres de hauteur.

Flammes dévorantes…

Chaque année, des centaines de millions d'hectares de forêts dans le monde s'envolent en fumée. L'Australie, la Californie et la Côte d'Azur sont les régions les plus affectées par les incendies de forêts, en raison de leur climat chaud, sec et venteux, et de leur végétation qui brûle facilement. La majorité des incendies de forêts, de savane et de brousse naissent malheureusement en raison de la négligence humaine. Toutefois, il arrive que ces catastrophes surviennent naturellement. Les principales causes naturelles des incendies de forêts sont les orages. Les étincelles créées par les éclairs suffisent parfois pour mettre le feu à la végétation. Les conditions météo présentes au moment des incendies sont extrêmement importantes pour la suite des événements. Si les vents, la sécheresse et la chaleur persistent, les dégâts prendront de l'ampleur. Au contraire, la pluie aidera à maîtriser le brasier.

Jeter de l'huile sur le feu…

Les eucalyptus, arbres typiques de l'Australie, renferment beaucoup d'huile. Dès qu'ils s'enflamment, ces arbres explosent, ce qui active l'incendie. S'il vente, le feu peut « dévorer » une superficie de 4 km² en 30 minutes à peine ! C'est l'équivalent de près de 800 terrains de football !

Refroidissement ou réchauffement ?
Les incendies de forêts affectent le climat. Ils libèrent des gaz et de petites particules qui resteront longtemps en suspension dans l'atmosphère. Ces particules augmentent la pollution de l'air et bloquent les rayons du soleil, entraînant un léger refroidissement du temps dans la région touchée. En contrepartie, les incendies dégagent une énorme quantité de dioxyde de carbone. Appelé « gaz à effet de serre », le dioxyde de carbone emprisonne la chaleur dans l'atmosphère et contribue ainsi au réchauffement du climat de l'ensemble de notre planète.

Les incendies peuvent transformer les forêts en vastes déserts… Aussi surprenant que cela puisse paraître, ces catastrophes peuvent être bénéfiques pour la nature. Les feux éliminent des arbres trop vieux ou malades tout en permettant à une nouvelle végétation en santé de pousser !

Monstres de l'océan

Les habitants de l'Amérique du Nord et des Caraïbes les appellent
« ouragans ». Ceux du sud-est de l'Asie les nomment « typhons ».
En Australie, ils sont appelés « willy-willies » et dans l'océan Indien,
on parle plutôt de « cyclones »… Peu importe le nom qu'on leur
donne, ces énormes tempêtes sont le cauchemar des habitants
des régions tropicales. Les ouragans surplombent des
régions immenses, frappant parfois des zones
côtières. Avec leurs nuages enroulés en un
gigantesque tourbillon, ils transportent
avec eux de fortes pluies et des vents
violents. Durant 7 à 9 jours, ces géants
des tropiques parcourent des milliers
de kilomètres, menaçant les bateaux
et les habitants du littoral.

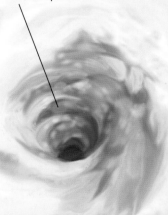

Œil de l'ouragan
L'œil est la zone calme de l'ouragan.
Les vents y sont faibles, le ciel est
souvent dégagé et les précipitations
presque nulles. Le diamètre de l'œil
peut varier beaucoup, mais il mesure
en moyenne 30 km.

Betsy, Carlos ou Danielle ?
Depuis 1979, les météorologistes de l'Organisation météorologique
mondiale nomment les ouragans. Chaque année, ils dressent une liste
de noms, par ordre alphabétique, alternant entre masculin et féminin
dans les langues anglaise, espagnole et française. Les ouragans,
lorsqu'ils se présentent, sont baptisés les uns à la suite des autres,
selon les noms prévus dans la liste officielle. Le nom de la première
tempête de l'année commencera par la lettre « A », celui de la deuxième
tempête, par un « B », et ainsi de suite…

Formidable machine à vapeur !

En se condensant, la vapeur d'eau
libère énormément d'énergie.
En une seule journée, un ouragan
dégage une quantité d'énergie
suffisante pour combler les besoins
en électricité des États-Unis
pendant 6 mois !

La formation d'un ouragan

Sous l'action du soleil, de l'air chaud et humide s'élève au-dessus de la mer. À mesure qu'il monte, cet air chaud crée des nuages de tempête. Une sorte de cheminée se forme alors au centre du plus gros nuage de tempête : l'air est aspiré par le bas de la cheminée et monte en spirale. Parvenu au sommet, l'air se condense pour produire d'autres nuages qui s'enroulent en tourbillon. Ce mouvement de l'air vers le haut crée un effet d'« aspirateur » près du centre de l'ouragan. Tant qu'elle sera alimentée par la chaleur de l'océan, la cheminée de l'ouragan continuera d'aspirer l'air.

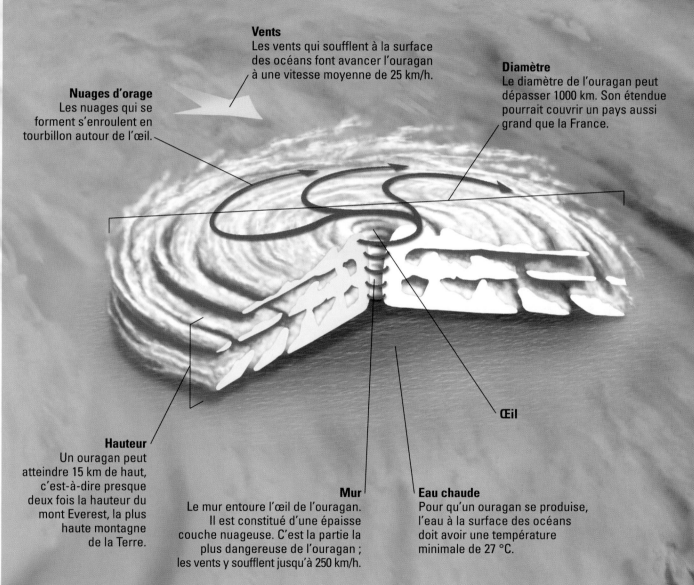

Vents
Les vents qui soufflent à la surface des océans font avancer l'ouragan à une vitesse moyenne de 25 km/h.

Diamètre
Le diamètre de l'ouragan peut dépasser 1000 km. Son étendue pourrait couvrir un pays aussi grand que la France.

Nuages d'orage
Les nuages qui se forment s'enroulent en tourbillon autour de l'œil.

Œil

Hauteur
Un ouragan peut atteindre 15 km de haut, c'est-à-dire presque deux fois la hauteur du mont Everest, la plus haute montagne de la Terre.

Mur
Le mur entoure l'œil de l'ouragan. Il est constitué d'une épaisse couche nuageuse. C'est la partie la plus dangereuse de l'ouragan ; les vents y soufflent jusqu'à 250 km/h.

Eau chaude
Pour qu'un ouragan se produise, l'eau à la surface des océans doit avoir une température minimale de 27 °C.

Des effets destructeurs

Il est impossible de prévoir plusieurs jours à l'avance la trajectoire précise d'un ouragan : celui-ci peut changer brusquement de direction, revenir sur ses pas ou même mourir, s'il voyage au-dessus de courants d'eau plus froide. Toutefois, si ces monstres de vent et de pluie atteignent les côtes d'un continent ou d'une île, leurs effets sont alors terribles… Leurs pluies abondantes font déborder les rivières et causent des glissements de terrain. Leurs vents déracinent les arbres, arrachent les toits et soulèvent des vagues gigantesques qui se fracassent sur le rivage dans un vacarme qui s'entend à des kilomètres à la ronde… Heureusement, les ouragans meurent rapidement lorsqu'ils franchissent la terre ferme. Privés de l'eau chaude de l'océan, leurs vents diminuent, même si la pluie peut continuer de tomber pendant plusieurs jours.

Utiles, les ouragans ?

Les ouragans sont si destructeurs qu'il est difficile de croire qu'ils puissent être utiles à notre planète… mais c'est pourtant le cas !
En plus d'absorber le surplus de chaleur des mers tropicales, les ouragans fournissent de la pluie aux pays chauds et fortement affectés par la sécheresse.

L'échelle de Saffir-Simpson

Depuis les années 1970, le Centre national des ouragans, aux États-Unis, classe les ouragans selon diverses caractéristiques, incluant la vitesse des vents et la hauteur de la marée. Cette échelle permet aux scientifiques d'évaluer les dangers d'une tempête et de prévoir l'ampleur des dégâts.

 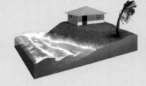 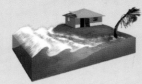  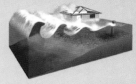

1 **Vitesse des vents**
118 à 152 km/h

Hauteur de la marée*
1,2 à 1,7 m

Arbres et arbustes abîmés, maisons mobiles, quais et amarres des petites embarcations endommagés.

2 **Vitesse des vents**
153 à 176 km/h

Hauteur de la marée*
1,8 à 2,6 m

Petits arbres déracinés, maisons mobiles sérieusement endommagées, certains toits abîmés.

3 **Vitesse des vents**
177 à 208 km/h

Hauteur de la marée*
2,7 à 3,8 m

Feuillage arraché des arbres, gros arbres déracinés, maisons mobiles détruites, quelques toits, fenêtres et portes de maisons endommagés.

4 **Vitesse des vents**
209 à 248 km/h

Hauteur de la marée*
3,9 à 5,5 m

Panneaux de signalisation jetés par terre, toits, fenêtres et portes de maisons sérieusement endommagés.

5 **Vitesse des vents**
Plus de 248 km/h

Hauteur de la marée*
Plus de 5,5 m

Certains édifices détruits, nombreux toits de maisons effondrés.

* Au-dessus de la normale

Qu'est-ce qu'une marée de tempête ?
L'eau des océans est fortement attirée par l'effet « aspirateur » de l'ouragan. Ce phénomène provoque la formation d'une petite « montagne d'eau », sous l'ouragan. Lorsqu'elle franchit la terre ferme, cette masse d'eau se déverse sur la côte et inonde de vastes étendues. En 1970, au Bangladesh, une marée de tempête a soulevé la mer de 12 mètres, soit l'équivalent d'un immeuble de 4 étages ! Résultat : 300 000 personnes périrent !

Une planète sous haute influence

Des montagnes qui façonnent son visage aux courants océaniques qui sillonnent ses mers, notre planète elle-même influence le climat en diverses régions du globe. Des phénomènes rares, telles les grandes éruptions volcaniques, et d'autres, encore plus rares, telle la collision de la Terre avec un astre venu de l'espace, peuvent bouleverser profondément le climat terrestre.

Explosions spectaculaires

Une soixantaine de volcans s'activent chaque année sur la Terre. Certains d'entre eux projettent dans l'atmosphère une quantité phénoménale de gaz, de cendres et de poussières. Poussées par les vents, ces particules peuvent circuler autour de la Terre pendant des mois… et même des années. Les résidus volcaniques forment une sorte de « bouclier » qui empêche une partie des rayons du soleil de parvenir jusqu'à la surface de notre planète. Il peut arriver que la température se refroidisse légèrement, partout à la surface du globe. Un autre phénomène — mais d'une ampleur beaucoup plus importante — peut aussi faire chuter les températures sur le plan mondial. Il s'agit de la collision d'une comète avec la Terre. Il y a 65 millions d'années, une collision gigantesque avec une comète a provoqué la formation d'énormes nuages de poussières qui ont obscurci le ciel et entraîné un refroidissement dramatique du climat. Aujourd'hui, les astronomes surveillent les comètes qui pourraient se diriger vers nous et la plupart d'entre eux pensent qu'une autre collision de ce genre est peu probable.

La fin des dinosaures

Les scientifiques croient que la comète qui heurta la Terre il y a 65 millions d'années serait responsable de la disparition de plusieurs espèces d'animaux, dont les dinosaures. Le gigantesque nuage de poussières qui recouvrit alors notre planète bloqua les rayons du soleil pendant plusieurs mois... Sans la chaleur et la lumière du soleil, plusieurs plantes périrent. Privés de leur nourriture, les dinosaures mangeurs de plantes disparurent, provoquant la famine chez les dinosaures mangeurs de viande.

« L'année sans été »

C'est en 1815 qu'est survenue la plus grande éruption volcanique connue : celle du volcan Tambora, en Indonésie, dans le Pacifique Sud. L'année suivante, des régions aussi éloignées que l'Europe et l'Amérique du Nord ont enregistré des températures beaucoup plus froides que la normale. L'an 1816 a été surnommé, pour cette raison, « l'année sans été ». Ce refroidissement du climat a affecté les récoltes et entraîné la famine dans certains pays.

Entre mer et terre

L'eau couvre les deux tiers de la surface de la Terre… tandis que sur les continents, les montagnes et les vallées composent le paysage depuis des millions d'années… Ces éléments agissent aussi sur le climat, en différentes régions du globe. D'énormes masses d'eau chaude ou froide, appelées courants marins, circulent dans les océans et influencent la météo des régions avoisinantes. Ainsi, le Gulf Stream, un courant chaud coulant au large de l'Angleterre, réchauffe ce pays qui connaît des hivers particulièrement doux. Les montagnes, de leur côté, ont un effet déterminant sur le temps local. Elles influencent la quantité de pluie ou de neige que reçoivent les régions environnantes.

Comment les montagnes influencent-elles les précipitations ?

Lorsque de l'air humide bute contre une montagne, il est forcé de s'élever. En s'élevant, l'air se refroidit et se condense pour former des nuages près du sommet de la montagne. Ce phénomène est responsable des chutes importantes de pluie ou de neige sur le versant et le sommet où se forment les nuages (versant au vent), pendant que l'autre versant (versant sous le vent) reçoit très peu de précipitations.

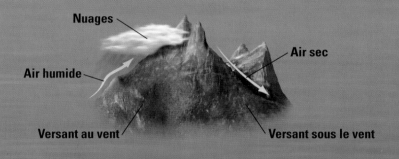

Nuages

Air humide

Air sec

Versant au vent

Versant sous le vent

Qu'est-ce que El Niño?

El Niño est un courant marin chaud qui longe les côtes du Chili et du Pérou tous les quatre à sept ans environ. Ce phénomène encore inexpliqué se produit habituellement au mois de décembre. L'important réchauffement des eaux bordant le continent sud-américain provoque la mort de nombreuses créatures marines et nuit sérieusement à l'industrie de la pêche. El Niño entraîne aussi des conséquences parfois graves sur l'ensemble de la planète, provoquant de fortes pluies et des ouragans. Ses effets déclenchent même des inondations en Floride et en Louisiane, des tempêtes de neige au Moyen-Orient et des sécheresses en Australie et en Indonésie ! Après un ou deux ans, El Niño laisse parfois place à un phénomène qui se dirige dans le sens opposé, La Niña, avant le retour à une situation normale.

Une montagne, deux climats

La vallée située sur le côté ouest de la chaîne de montagnes Olympic, dans l'État de Washington (É.-U.), reçoit environ 380 cm de précipitations chaque année. De l'autre côté de la chaîne, à quelque 100 km de distance, il en tombe moins de 43 cm !

Nuages étouffants

En ville, l'asphalte et le béton des édifices et des routes retiennent la chaleur du soleil. Les cheminées des usines et les véhicules à moteur crachent des gaz qui emprisonnent la chaleur près de la Terre. Le phénomène du réchauffement global est d'autant plus inquiétant qu'il progresse sans arrêt depuis 100 ans… Une augmentation de la température de la Terre d'à peine quelques degrés pourrait notamment provoquer, à long terme, la fonte des glaces polaires, une élévation du niveau d'eau des océans et, par conséquent, des inondations sur les îles et les régions côtières.

Aux grands maux, les grands remèdes
Chaque citoyen doit faire sa part en économisant l'énergie, en évitant le gaspillage et en utilisant des moyens de transport moins polluants comme la bicyclette, l'automobile électrique ou le covoiturage. Bien que la qualité de l'air se soit améliorée depuis une trentaine d'années, il reste encore beaucoup de travail à accomplir…

« Purée de pois » londonienne

Les grandes villes comme Los Angeles et Mexico sont souvent envahies par du smog, un brouillard dû à la pollution. En 1952, la ville de Londres, en Angleterre, fut enveloppée par un smog si épais que les piétons devaient retrouver leur chemin à tâtons, en touchant les édifices.

La Terre : une serre géante

Le gaz carbonique, la vapeur d'eau, l'ozone, le dioxyde de soufre, le méthane, les CFC (chlorofluorocarbones) et l'oxyde nitreux forment une ceinture de gaz autour de la Terre. Ensemble, ils sont responsables d'un phénomène appelé « effet de serre ». Sans cet effet de serre naturel, la température de notre planète serait beaucoup plus froide qu'elle ne l'est !

Les rayons du soleil frappent la Terre et la réchauffent.

Les gaz à effet de serre captent la chaleur renvoyée par la Terre et l'emprisonnent près de sa surface. C'est l'effet de serre.

La Terre renvoie une partie de cette chaleur dans l'atmosphère.

Les activités humaines comme l'agriculture et la coupe des forêts, en plus de la pollution, produisent un surplus de gaz à effet de serre. Les météorologues craignent que cette augmentation amplifie l'effet de serre naturel de la Terre et augmente le réchauffement planétaire. Ce dérèglement pourrait provoquer, selon les régions, des inondations, des sécheresses et des ouragans.

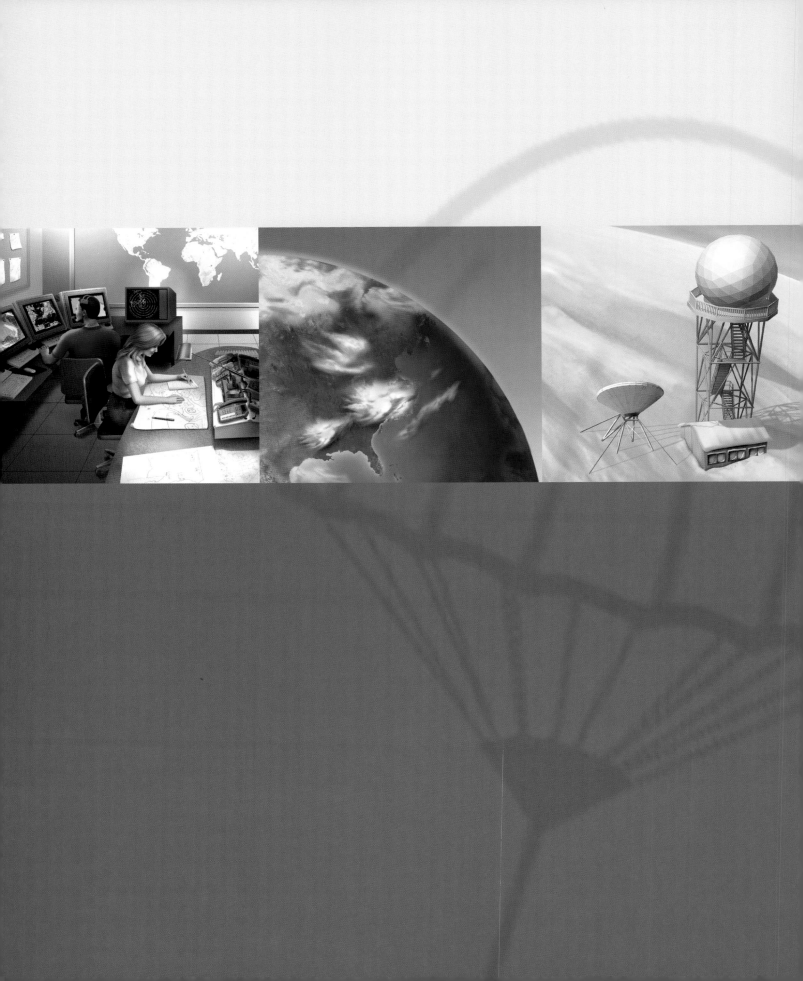

Prévoir… pour le meilleur et pour le pire

Chaque jour, des spécialistes de la météo font le portrait du temps. Aidés d'instruments et de technologies des plus perfectionnés, ils dressent des cartes qui évoluent sans cesse au gré du vent. Beau temps, mauvais temps, ils surveillent le ciel et établissent des prévisions pour les heures, les jours qui viennent. Leurs prévisions n'influencent pas seulement nos activités quotidiennes : elles sauvent aussi des vies !

Les experts du temps

Chaque matin, on se demande quel temps la journée nous réserve. En consultant les bulletins météorologiques à la radio, à la télévision ou sur Internet, on détermine s'il vaut mieux aller à la plage… ou au cinéma. Les prévisions météorologiques sont très importantes pour les cultivateurs, les navigateurs, les pilotes d'avion et tous les autres dont les activités sont directement influencées par le temps. Les grands experts des prévisions météorologiques sont les météorologues. En plus de nous informer du temps à venir, ces spécialistes de la météo sont de véritables protecteurs des citoyens. Grâce à leurs connaissances des phénomènes atmosphériques, ils peuvent alerter la population de l'approche d'un phénomène dévastateur comme un ouragan ou une tornade.

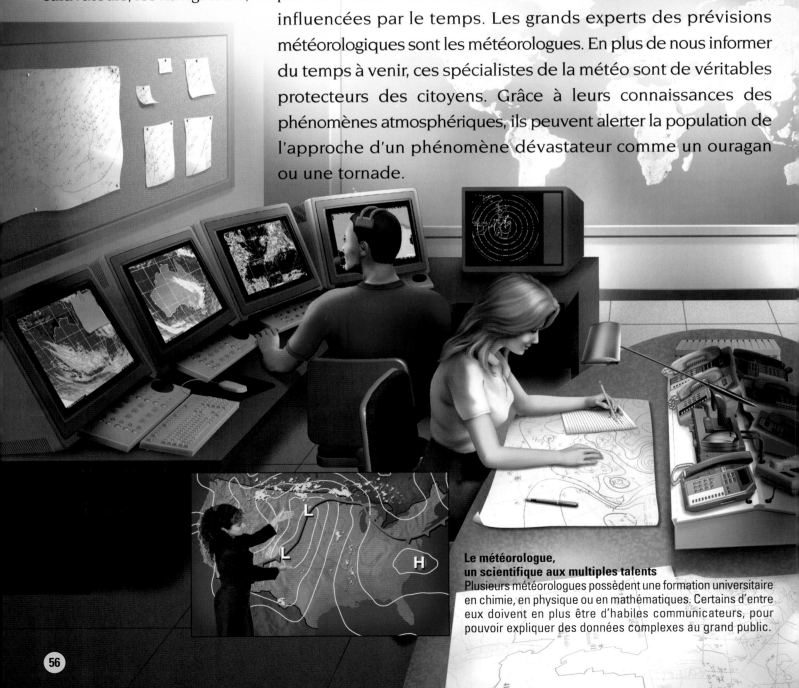

**Le météorologue,
un scientifique aux multiples talents**
Plusieurs météorologues possèdent une formation universitaire en chimie, en physique ou en mathématiques. Certains d'entre eux doivent en plus être d'habiles communicateurs, pour pouvoir expliquer des données complexes au grand public.

Super ordinateurs
Les ordinateurs du météorologue sont si puissants qu'ils arrivent à produire des cartes météorologiques à peine quelques instants après avoir reçu les informations en provenance des divers appareils de mesure météorologique.

Le meilleur ami du météorologue

Autrefois, les cartes météo étaient dessinées à la main. L'avènement des ordinateurs, dans les années 1950, a révolutionné la météorologie. De nos jours, les ordinateurs les plus performants exécutent près de 100 milliards d'opérations mathématiques par seconde et produisent des cartes en quelques dizaines de secondes !

Prévoir le temps

Établir une prévision météorologique pour une zone particulière est une opération complexe, nécessitant de grandes quantités de données. Plusieurs fois par jour, les météorologues reçoivent des rapports provenant des stations météorologiques terrestres, mais aussi des centaines de bateaux, bouées, ballons-sondes, radars et satellites. Toutes ces données reliées à l'humidité, à la température, aux précipitations, aux vents, aux types de nuages, à la pression et à la couverture nuageuse sont centralisées, puis traitées par de puissants ordinateurs. À l'aide des données reçues, les ordinateurs produisent des cartes regroupant un grand nombre de renseignements.Bien qu'ils soient d'une puissance inouïe, les ordinateurs ne seraient d'aucune utilité sans le jugement et les connaissances des météorologues. En effet, seuls ces experts peuvent prévoir le temps qu'il fera dans une ville ou une région donnée. Car, contrairement à la plupart des machines actuelles, les météorologues tiennent compte d'éléments locaux qui influencent le temps, telle la présence de collines ou de lacs.

Des météorologues à pattes...

Selon la croyance populaire, si les chiens et les chats dorment tranquilles, il y aura du beau temps. Par contre, si les vaches sont couchées, les grenouilles coassent hors de l'étang et les oiseaux volent bas, il pleuvra. Bien que la nature nous aide parfois à prédire le temps, il faut prendre les signes qu'elle nous donne avec un grain de sel ! Après tout, même les animaux peuvent se tromper !

Les secrets des cartes météo

Tous les jours, des cartes météorologiques comme celle-ci apparaissent à la télévision, dans les journaux et sur Internet. En connaissant la signification des différents symboles utilisés sur les cartes, on arrive à mieux comprendre les prévisions météo.

Fronts

Un front est la frontière entre une masse d'air chaud et une masse d'air froid. L'arrivée d'un front annonce donc un changement dans le temps. Sur les cartes météo, les fronts sont représentés par des courbes ornées de triangles (pour un front froid) ou de demi-cercles (pour un front chaud). Les triangles et demi-cercles sont orientés dans la direction du déplacement du front. Un front chaud fait augmenter la température et apporte souvent de la pluie ou de la neige continue. En revanche, un front froid provoque une baisse de température, généralement accompagnée d'averses, d'orages et parfois même de grêle.

Zone de haute pression

Une zone de haute pression (ou anticyclone) est signalée par la lettre A. Elle indique une région où la pression atmosphérique est élevée. Une haute pression atmosphérique est souvent à l'origine du beau temps.

Isobares

Les isobares sont des courbes qui relient les points de la carte où la pression atmosphérique est la même.

Zone de basse pression

Une zone de basse pression (ou dépression ou cyclone) est représentée par la lettre D. Elle indique une région où la pression atmosphérique est basse. Une faible pression atmosphérique est souvent à l'origine du mauvais temps.

Zones de précipitations

Les zones de précipitations (pluie ou neige) sont représentées par des taches jaunes.

Des outils pour mesurer le temps

Chaque jour, des milliers de météorologues, répartis dans plus de 170 pays, recueillent diverses données telles que la direction et la vitesse du vent, la température et l'humidité de l'air, la pression atmosphérique, la durée de l'ensoleillement et les précipitations de pluie ou de neige. Pour ce faire, les spécialistes du temps disposent d'une vaste panoplie d'instruments de mesure. Les instruments du météorologue sont souvent réunis en un lieu commun, nommé station météorologique. Plusieurs fois par jour, des relevés sont effectués par les équipements de quelque 12 000 stations météorologiques partout dans le monde.

Girouette
La girouette indique la direction du vent. Cette indication permet de prévoir, entre autres, le déplacement des nuages de tempêtes.

Anémomètre
L'anémomètre mesure la vitesse du vent. Plus le vent souffle fort, plus ses coupelles tournent vite.

Pluviomètre
Le pluviomètre est un récipient marqué de petites graduations. Il sert à mesurer la quantité de pluie tombée en un endroit.

Héliographe
L'héliographe est une sphère de verre qui capte les rayons du soleil et concentre leur chaleur sur du papier, comme le fait une loupe. Résultat : une brûlure sur le papier dont la longueur indique la durée de l'ensoleillement.

Nivomètre
Le nivomètre sert à recueillir la neige. Grâce au nivomètre, les météorologues peuvent déterminer la quantité de neige tombée en un endroit.

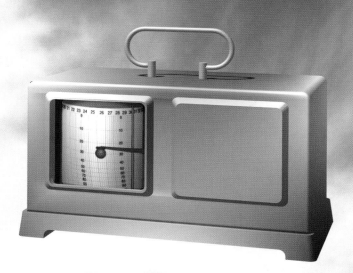

Hygrographe

L'hygrographe mesure et enregistre l'humidité de l'air, c'est-à-dire la quantité de vapeur d'eau contenue dans l'air. Certains hygrographes utilisent des cheveux humains pour déceler les variations d'humidité. Les cheveux s'allongent par temps humide et raccourcissent par temps sec.

Claires-voies

Station météo automatique

Certains endroits de la terre sont difficilement accessibles aux météorologues. Sur les océans, les informations météorologiques sont recueillies par des navires et par des stations météo arrimées à des bouées. Dans les déserts, les montagnes et les régions polaires, de petites stations météo fonctionnent sans la présence d'humains. Les données qu'elles recueillent sont transmises par satellite vers les grandes stations météorologiques.

Baromètre

Le baromètre mesure la pression de l'air. Les variations de la pression atmosphérique indiquent des changements de temps. Si la pression descend rapidement, c'est un signe de mauvais temps. Une élévation de pression annonce plutôt du beau temps.

Voir activité p. 70

Abri Stevenson

L'abri Stevenson est une boîte peinte en blanc installée à un peu plus de 1 m au-dessus du sol. Pour éviter que les mesures ne soient faussées, cet abri est muni de claires-voies, des fentes qui font penser aux portes persiennes. Elles permettent à l'air de circuler tout en empêchant le soleil d'atteindre directement les appareils. On y retrouve des instruments pour mesurer la température, l'humidité et la pression de l'air.

Vieux comme le monde...

Les anémomètres et les pluviomètres sont les plus anciens instruments de mesure météorologique inventés par l'homme. Ils sont utilisés depuis plus de 2000 ans !

Thermomètre

Le thermomètre permet de mesurer la température de l'air grâce à un liquide — généralement du mercure ou de l'alcool — contenu dans un tube de verre. Si l'air se réchauffe, le liquide prend plus d'espace et monte dans le tube. Au contraire, si l'air se refroidit, le liquide se contracte et descend.

La technologie au service de la météo

La technologie moderne a complètement révolutionné la météorologie des 50 dernières années. Au sol, de puissants radars scrutent le ciel à la recherche d'indices météo. Dans le ciel, voyageant à plus de 30 kilomètres au-dessus de nos têtes, les ballons-sondes récoltent des données sur les différentes couches d'air et de nuages. Bien au-delà de notre atmosphère, des satellites flottent dans l'espace, d'où ils observent notre planète. Ces nouvelles observations sont devenues essentielles pour les météorologues d'aujourd'hui. Elles leur permettent de suivre l'évolution quotidienne de la météo, de prévoir le déplacement des grandes tempêtes et d'étudier l'évolution du climat de la Terre au long des années.

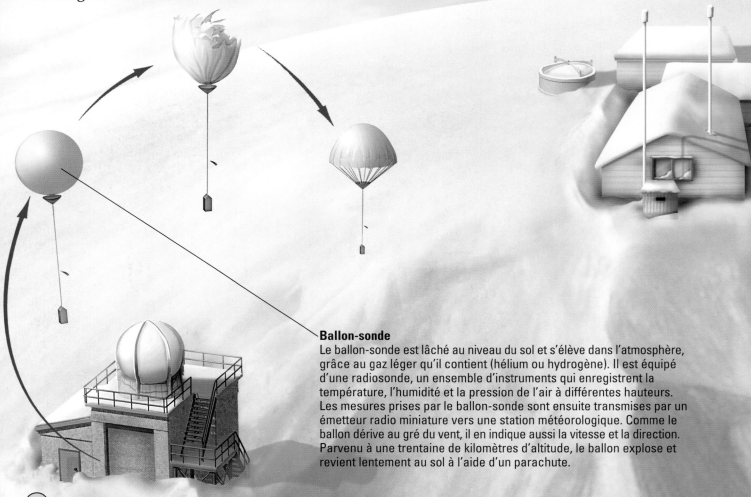

Ballon-sonde

Le ballon-sonde est lâché au niveau du sol et s'élève dans l'atmosphère, grâce au gaz léger qu'il contient (hélium ou hydrogène). Il est équipé d'une radiosonde, un ensemble d'instruments qui enregistrent la température, l'humidité et la pression de l'air à différentes hauteurs. Les mesures prises par le ballon-sonde sont ensuite transmises par un émetteur radio miniature vers une station météorologique. Comme le ballon dérive au gré du vent, il en indique aussi la vitesse et la direction. Parvenu à une trentaine de kilomètres d'altitude, le ballon explose et revient lentement au sol à l'aide d'un parachute.

Mât météorologique
Le mât météorologique se compose d'instruments météorologiques placés à différentes hauteurs.

Satellite géostationnaire

Satellite à orbite polaire

Les satellites

Les satellites météo captent des données qui sont ensuite transformées en images par des ordinateurs. Les journaux et la télévision présentent souvent des images satellites sur lesquelles on voit des masses nuageuses. En comparant des images satellites prises à différents moments, les météorologues suivent le déplacement des nuages, évaluent la vitesse des vents et prévoient les précipitations. Il existe deux types de satellites : géostationnaire et à orbite polaire. Les satellites géostationnaires ceinturent l'équateur et observent toujours la même portion de la planète. Ils peuvent recueillir instantanément des informations atmosphériques de tous les coins du globe, à l'exception des pôles. Les satellites à orbite polaire font le tour de la Terre en passant par le pôle Nord et le pôle Sud. Comme ils orbitent à basse altitude, ils peuvent scruter le sol, l'océan et l'atmosphère avec une grande précision.

Radars
Placés au sol, les radars permettent de prévoir le type et la quantité de précipitations attendues. Ils émettent des ondes radio qui sont réfléchies différemment selon qu'elles rencontrent des gouttes de pluie, des flocons de neige ou des grêlons. Grâce aux radars, on détermine aussi la vitesse et la direction du vent, des données fort utiles pour suivre les orages et les tornades.

L'atmosphère sous haute surveillance

Autour de la planète, plus de 1000 ballons-sondes sont lâchés dans l'atmosphère deux fois par jour. D'autre part, les satellites effectuent quotidiennement quelque 150 000 observations…

Faits

Les climats

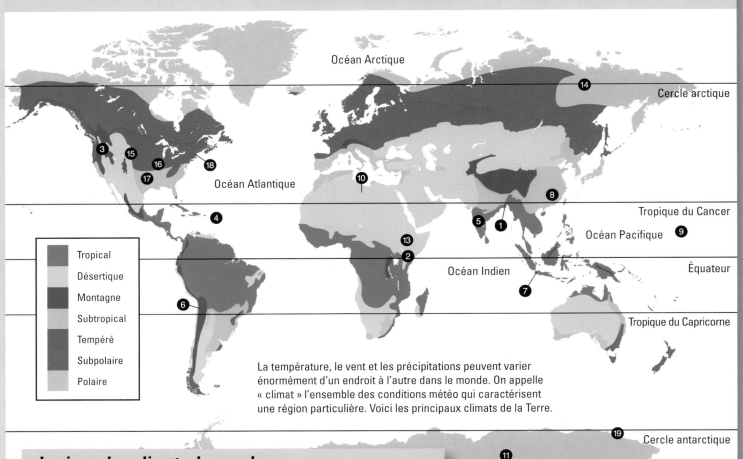

Océan Arctique

Cercle arctique

Océan Atlantique

Tropique du Cancer

Océan Pacifique

Océan Indien

Équateur

Tropique du Capricorne

Cercle antarctique

Légende :
- Tropical
- Désertique
- Montagne
- Subtropical
- Tempéré
- Subpolaire
- Polaire

La température, le vent et les précipitations peuvent varier énormément d'un endroit à l'autre dans le monde. On appelle « climat » l'ensemble des conditions météo qui caractérisent une région particulière. Voici les principaux climats de la Terre.

Lexique des climats du monde

Climat tropical : Climat très chaud situé près de l'équateur. La température varie peu et les précipitations sont abondantes.

Climat subtropical : Climat caractérisé par des hivers doux, des étés très chauds et des précipitations abondantes.

Climat désertique : Climat caractérisé par de faibles précipitations, un sol presque sans végétation et de grands écarts de températures entre le jour et la nuit.

Climat de montagne : Climat associé aux montagnes. La température baisse et la végétation devient de plus en plus rare à mesure qu'on monte en altitude.

Climat tempéré : Climat caractérisé par un temps variable et quatre saisons bien distinctes.

Climat subpolaire : Climat caractérisé par de longs hivers froids et des étés courts et frais.

Climat polaire : Climat très froid caractérisé par un sol souvent gelé et une température qui dépasse rarement 10 °C.

Le pire temps

C'est aux États-Unis qu'on connaît le pire temps, si l'on considère ensemble tous les phénomènes atmosphériques (froid, inondation, sécheresse, chaleur, tornades et tempêtes tropicales).
En une année, le pays peut s'attendre à être frappé par 10 000 orages violents, 5000 inondations, 1000 tornades et plusieurs ouragans.

Des précipitations records

Le plus gros grêlon pesait 1 kg. Il a été trouvé à **Gopalganj** ❶, au Bengladesh, le 14 avril 1986.

L'endroit le plus grêleux du monde se trouve à **Keriche** ❷, au Kenya, avec 132 jours de grêle par année.

Du 19 février 1971 au 18 février 1972, il tomba un peu plus de 31 m de neige à **Paradise** ❸, au mont Rainier, dans l'État de Washington (É.-U.). C'est la plus grande quantité de neige tombée en un an.

Le 26 novembre 1970, à **Barst** ❹ à la Guadeloupe, il tomba 38 mm de pluie en seulement 1 minute.

Du 1er août 1860 au 31 juillet 1861, il tomba 26,46 m de pluie à **Cherrapunji** ❺, en Inde. C'est la plus grande quantité de pluie tombée en un an.

Le désert d'**Atacama** ❻, au Chili, est l'endroit le plus sec du monde, avec des précipitations annuelles moyennes de quelques gouttes (0,1 mm).

Des tempêtes records

Bogor ❼, en Indonésie, est la ville qui a été la plus souvent touchée par les orages. En 1916, les tempêtes l'ont frappée pendant 322 jours.

L'ouragan le plus meurtrier et le plus dévastateur a frappé le **Bangladesh** ❶ en 1970, faisant au moins 300 000 morts.

La **Chine** ❽ est le pays le plus souvent frappé par les inondations. La plus importante et la plus dévastatrice, en 1887, a fait plus de 900 000 morts.

Le cyclone JOHN est l'ouragan qui a duré le plus longtemps. En 1994, il a sévi pendant une trentaine de jours dans l'**océan Pacifique** ❾.

Des températures records

Le 13 septembre 1922, à **Aziziyah** ❿, en Libye, le mercure a atteint un sommet record de 57,8 °C. Cette température est suffisante pour faire cuire un œuf !

Le 21 juillet 1983, à **Vostok** ⓫, en Antarctique, le mercure a atteint un minimum record de -89,2 °C.

L'endroit le plus froid du monde se trouve en Antarctique, à **Polus Nedostupnosti** ⓬, aussi appelé Pôle de l'Inaccessibilité, avec une température moyenne annuelle de -57,8 °C.

Dallol ⓭, en Éthiopie, est l'endroit le plus chaud du monde avec une température moyenne annuelle de 34,4 °C enregistrée entre 1960 et 1966.

À **Verkhoïansk** ⓮, en Sibérie, les températures extrêmes peuvent passer de -68 °C l'hiver à 32 °C l'été. C'est l'endroit où les saisons sont les plus contrastées.

À **Spearfish** ⓯, au Dakota du Sud (É.-U.), la température est passée de -20 °C à 7 °C en seulement 2 min. C'est la variation la plus rapide de température.

Des vents records

La tornade la plus destructrice de l'histoire a frappé le **Missouri**, l'**Illinois** et l'**Indiana** (É.-U.) ⓰ le 18 mars 1925. Voyageant sur 350 km, elle a fait près de 700 morts.

La tornade la plus puissante du monde a frappé l'**Oklahoma** (É.-U.) ⓱ le 3 mai 1999, avec des vents records de 509 km/h.

Le 12 avril 1934, au **mont Washington** ⓲, dans le New-Hampshire (É.-U.), une rafale de vent a atteint 372 km/h.

L'endroit le plus venteux de la planète se trouve à la **baie Commonwealth** ⓳, en Antarctique, avec des vents soufflant en moyenne à 80 km/h, et des rafales pouvant atteindre 322 km/h.

Les vents

Des vents de toutes sortes soufflent aux quatre coins de la planète. Ces vents peuvent être doux, chauds, froids, secs, humides ou pleins de poussières. En voici quelques-uns :

CHINOOK ❶
Vent chaud provenant de l'ouest, soufflant dans les montagnes Rocheuses en Amérique du Nord. Il peut faire grimper les températures de 22 °C en 15 minutes, faisant fondre la neige.

CHOCOLATE ❷
Vent du nord, chaud et modéré, qu'on trouve dans la région du golfe du Mexique et qui doit son nom à la couleur chocolatée du sable qu'il transporte.

BARBIER ❸
Ce terme est utilisé surtout en Amérique du Nord pour décrire un blizzard qui souffle du nord, en hiver, dans le golfe du Saint-Laurent. C'est une forte tempête maritime pendant laquelle la bruine et la pluie gèlent instantanément au contact des objets, incluant les cheveux et la barbe… d'où son nom !

MISTRAL ❹
Vent violent provenant du nord et soufflant vers le centre de la France à peu près toute l'année. Plus fréquent en hiver, il est quelquefois d'une telle vigueur qu'il menace la stabilité des trains dans le delta du Rhône.

SIROCCO ❺
Vent chaud, sec et poussiéreux provenant du Sahara et soufflant surtout au printemps en direction de la mer Méditerranée. En traversant la mer, il se charge d'humidité et apporte du brouillard et de la pluie à Malte, en Sicile et au sud de l'Italie.

FOEHN ❻
Vent chaud et sec du sud, soufflant le plus souvent au printemps et en automne dans la région du Valais, en Suisse. Ce puissant vent en rafales descend les montagnes, amenant le beau temps et faisant grimper les températures. Il est tellement chaud qu'il arrive à faire fondre la neige mieux que le soleil lui-même !

MOUSSON ❼
Vent qui change de direction avec les saisons et qui souffle surtout dans le sud de l'Asie. La mousson d'été souffle du sud-ouest à travers l'océan Indien vers le continent. C'est un vent humide qui apporte des pluies parfois diluviennes en Inde, entre autres. La mousson d'hiver est inversée : un vent sec souffle du nord-est, du continent asiatique vers l'océan Indien.

BURAN ❽
Vent fort de Sibérie et d'Asie centrale provenant du nord-est et soufflant à plus de 55 km/h. Ses rafales violentes réduisent souvent la visibilité. En été, il est appelé buran noir, car il soulève la poussière. En hiver, on le nomme plutôt buran blanc puisque c'est la neige qu'il soulève. Au Canada et dans le nord des États-Unis, ce type de vent est appelé blizzard.

L'échelle de Beaufort

Grâce à l'échelle de Beaufort, on peut évaluer la force du vent. Cette échelle a été créée en 1805 par un marin britannique nommé Francis Beaufort. À l'époque, elle servait à estimer la force du vent sans l'utilisation d'instruments. D'ailleurs, l'amiral Beaufort l'avait établie en observant l'effet du vent sur les voiles des navires. Puis, quelques années plus tard, elle fut utilisée pour qualifier la force du vent au sol.

Force	0	1	2	3	4	5
Vitesse du vent	Moins de 2 km/h	De 2 à 5 km/h	De 6 à 11 km/h	De 12 à 19 km/h	De 20 à 29 km/h	De 30 à 39 km/h
Description	Calme	Très légère brise	Légère brise	Petite brise	Jolie brise	Bonne brise
Effets	La fumée des cheminées s'élève à la verticale.	La fumée indique la direction du vent.	Les girouettes bougent et on sent le vent sur son visage.	Les petits drapeaux flottent; les feuilles et les brindilles bougent.	La poussière et le papier s'élèvent; les petites branches bougent.	Les arbustes et les branches des arbres se balancent.

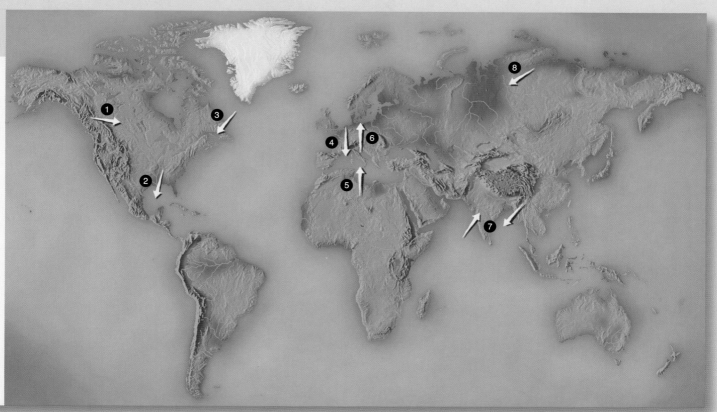

Des gratte-ciel étourdissants

Les palmiers et les cycas sont des arbres des régions tropicales qui résistent bien aux catastrophes naturelles. Ils se couchent sous la tempête mais ne tombent pas. Les constructeurs s'en sont inspirés pour construire des gratte-ciel qui se balancent au vent (comme la Tour de Sydney, en Australie). Le sommet de certains édifices peut osciller de plus de 1 m lors de vents violents !

6	7	8	9	10	11	12
De 40 à 50 km/h	De 51 à 61 km/h	De 62 à 74 km/h	De 75 à 87 km/h	De 88 à 101 km/h	De 102 à 120 km/h	Plus de 120 km/h
Vent frais	Grand frais	Coup de vent	Fort coup de vent	Tempête	Violente tempête	Ouragan
Le parapluie est difficile à contrôler; les grosses branches s'agitent; on entend siffler le vent.	La marche contre le vent devient difficile; les arbres se balancent.	Les petites branches des arbres se brisent.	Les tuiles des toits s'envolent; les grosses branches des arbres se brisent.	Dommages importants sur les maisons; les arbres sont déracinés. (Se produit rarement)	Dommages très sévères sur les maisons. (Se produit très rarement)	Les maisons sont détruites; le paysage dévasté; c'est le désastre.

Les symboles météo

Sur les cartes dont se servent les météorologues, chaque station météo est représentée par un cercle autour duquel on retrouve des symboles et des chiffres qui expriment le temps observé. Voici ce que signifie chacun d'eux.

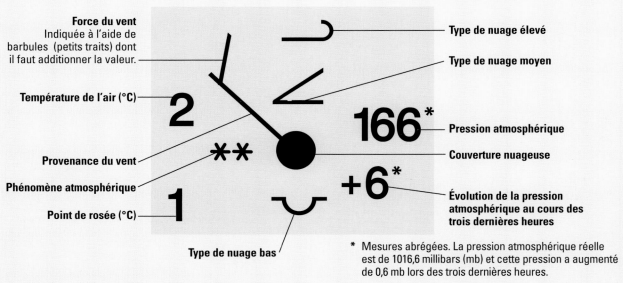

Force du vent
Indiquée à l'aide de barbules (petits traits) dont il faut additionner la valeur.

Température de l'air (°C)

Provenance du vent

Phénomène atmosphérique

Point de rosée (°C)

Type de nuage bas

Type de nuage élevé

Type de nuage moyen

Pression atmosphérique

Couverture nuageuse

Évolution de la pression atmosphérique au cours des trois dernières heures

* Mesures abrégées. La pression atmosphérique réelle est de 1016,6 millibars (mb) et cette pression a augmenté de 0,6 mb lors des trois dernières heures.

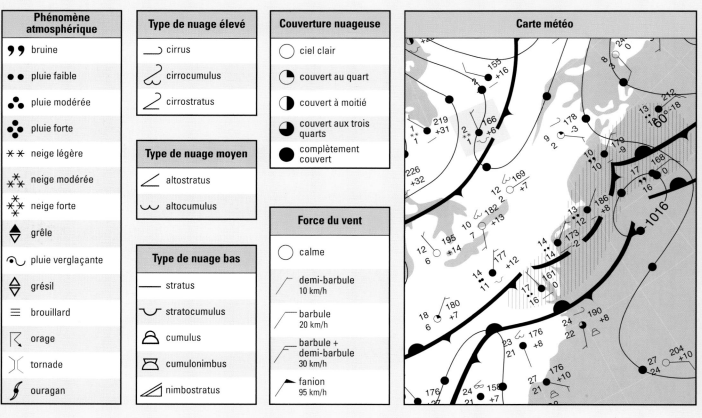

Phénomène atmosphérique	
,,	bruine
••	pluie faible
•.•	pluie modérée
•.•.	pluie forte
**	neige légère
**.*	neige modérée
.	neige forte
◆	grêle
⌒.	pluie verglaçante
◇	grésil
≡	brouillard
⨅	orage
)(	tornade
⌇	ouragan

Type de nuage élevé	
⌐	cirrus
⌁	cirrocumulus
2	cirrostratus

Type de nuage moyen	
∠	altostratus
⌣⌣	altocumulus

Type de nuage bas	
—	stratus
⌣	stratocumulus
⌒	cumulus
⌂	cumulonimbus
◿	nimbostratus

Couverture nuageuse	
○	ciel clair
◔	couvert au quart
◑	couvert à moitié
◕	couvert aux trois quarts
●	complètement couvert

Force du vent	
○	calme
/	demi-barbule 10 km/h
/	barbule 20 km/h
/	barbule + demi-barbule 30 km/h
◣	fanion 95 km/h

Carte météo

Trucs pour prévoir le temps

Bien avant que les ordinateurs n'aident les météorologues à faire des prévisions, nos ancêtres pouvaient, en observant les éléments du temps, prédire celui du lendemain. Avec l'aide de ces quelques signes de la nature, saurais-tu, toi aussi, prédire le temps qu'il fera dans quelques heures? Note bien que ces signes ne sont que des indications; ils peuvent ne pas fonctionner à tout coup ! Mais plus tu en observeras, plus ta prévision aura de chances de se réaliser.

Il y aura du beau temps dans moins de 24 heures si

- la brume du matin se dissipe quelques heures après le lever du soleil

- le vent léger souffle de l'ouest dans l'hémisphère Nord et de l'est dans l'hémisphère Sud

- les nuages se dissipent en fin d'après-midi

- la fumée qui sort d'une cheminée s'élève à la verticale

- il y a de la rosée ou de la gelée matinale

- la lune est brillante

- le soleil couchant ou levant est une boule de feu

- le ciel est bleu à l'ouest

- le ciel est rouge à l'est au soleil couchant

Il y aura des précipitations (pluie ou neige) dans moins de 24 heures si

- les nuages deviennent noirs l'après-midi, en été

- les sons lointains s'entendent mieux

- les odeurs de la terre (marais) sont plus présentes

- le vent augmente ou change rapidement de direction, passant de l'ouest au sud-ouest, au sud, puis au sud-est

- un halo se produit autour du soleil ou de la lune (plus le halo est grand, plus les précipitations arriveront rapidement), surtout pendant l'été

- il n'y a pas de rosée au sol le matin

- un arc-en-ciel matinal est présent dans le ciel à l'ouest

- le ciel d'ouest est rouge au lever du soleil

- le soleil couchant est pâlot

- les nuages se teintent en rouge au coucher du soleil

- les oiseaux et les insectes volent plus bas

Coups de foudre

Roy C. Sullivan, ancien garde forestier de Virginie (É.-U.), a été frappé sept fois par la foudre ! Il a déjà perdu conscience, perdu un ongle d'orteil et subi des blessures à la poitrine et à l'estomac, et ses cheveux ont pris feu à deux reprises !

Une pluie de grenouilles !

En 1946, à Memphis, au Tennessee (É.-U.), il est tombé une pluie de… grenouilles! Ce genre d'événement hors du commun est souvent provoqué par une tornade. Après avoir aspiré les amphibiens hors de leur étang, la tornade les a rejetés comme une averse un peu plus loin.

Activités

Fabrique un baromètre à eau

La pression atmosphérique, qu'on appelle aussi pression de l'air, correspond au poids de l'air. La mesure de la pression atmosphérique est très utile pour prévoir le temps. Pour la mesurer, on utilise un baromètre. Voici comment en construire un.

Matériel nécessaire

- un pot avec une ouverture large
- une bouteille avec un goulot étroit
- de l'eau à la température de la pièce
- du colorant à gâteau
- une cuillère
- une étiquette autocollante ou un petit papier et du ruban adhésif
- un crayon
- un carnet

Expérience

1. Verse de l'eau jusqu'à la moitié du pot environ.

2. Ajoute quelques gouttes de colorant et brasse l'eau avec la cuillère afin qu'elle soit teintée.

3. Mets la bouteille à l'envers dans le pot, de façon que le goulot de la bouteille soit immergé d'environ 1 cm.

4. Appose l'étiquette autocollante — ou le petit papier avec du ruban adhésif — sur le devant du pot à large ouverture afin de mesurer les déplacements du niveau d'eau dans le goulot de la bouteille.

5. Indique sur l'étiquette, en traçant un petit trait à l'aide de ton crayon, le niveau de l'eau dans le goulot de la bouteille.

6. Place ton baromètre à l'abri de la chaleur et du froid et note le niveau de l'eau dans le goulot de la bouteille pendant plusieurs jours. Indique dans ton carnet si le niveau monte ou descend.

Observe bien

Le niveau d'eau dans la bouteille change, selon les jours. Quand la pression de l'air est élevée, elle pousse sur l'eau du pot et en fait remonter une certaine quantité dans le goulot de la bouteille. Une pression atmosphérique à la hausse annonce généralement du beau temps. Au contraire, lorsque la pression de l'air diminue, le niveau de l'eau dans le goulot diminue aussi. Une pression atmosphérique à la baisse annonce généralement du mauvais temps.

Conserve ta fraîcheur

Lorsque le soleil est brûlant, aurais-tu moins chaud en portant des vêtements de teinte sombre ou claire ? Essaie ce qui suit et tu auras ta réponse...

Matériel nécessaire

- 2 verres identiques
- une feuille de papier blanc
- une feuille de papier noir
- de l'eau à la température de la pièce
- du ruban adhésif

Expérience

1. Entoure un verre avec le papier blanc et l'autre avec le papier noir.
Fixe les papiers avec du ruban adhésif.

2. Remplis les 2 verres avec de l'eau à la température de la pièce.

3. Installe-les au soleil pendant une heure, puis vérifie la température de l'eau dans chacun des verres.

Observe bien

L'eau est restée plus fraîche dans le verre entouré du papier blanc alors qu'elle s'est réchauffée dans celui entouré du papier noir. Les rayons du soleil agissent différemment sur les objets, selon leur couleur. Les couleurs foncées captent la lumière du soleil et la transforment en chaleur. Le papier noir entourant ton verre a « capté » la chaleur du soleil et l'a transmise à l'eau du verre. Pour leur part, les couleurs pâles agissent comme un miroir et réfléchissent en partie les rayons du soleil. Le papier blanc entourant le deuxième verre a réfléchi les rayons du soleil, ne leur laissant pas le temps de réchauffer l'eau du verre. Tu l'as bien compris : en pleine canicule, pour t'aider à mieux tolérer la chaleur, tu devrais porter des vêtements de couleur claire (blanc, rose, jaune) plutôt que des vêtements foncés (noir, brun, marine).

Habille-toi... selon le climat

Il vaut mieux se couvrir lorsqu'il fait froid... même la tête ! Après l'expérience qui suit, tu seras convaincu de l'utilité de porter un chapeau ou une casquette pendant la saison froide !

Matériel nécessaire

- 2 bocaux identiques
- une tasse à mesurer
- de l'eau chaude
- une casquette

Expérience

1. À l'aide de la tasse à mesurer, remplis les 2 bocaux avec la même quantité d'eau chaude.
Fais attention de ne pas te brûler!

2. Recouvre l'un des bocaux avec la casquette.

3. Place les 2 bocaux dans le réfrigérateur et attends 30 minutes.

4. Plonge ton doigt à tour de rôle dans chacun des bocaux et compare les températures de l'eau.

Observe bien

L'eau est restée plus chaude dans le bocal qui est recouvert de la casquette. La raison est fort simple : la casquette empêche la chaleur de quitter le bocal. L'eau qui s'y trouve ne s'est donc pas refroidie. Tu vois qu'il est donc préférable de bien se couvrir pour se protéger du froid !

Mesure le poids de l'air

Bien que ce soit difficile à imaginer, l'air, comme toute chose, a un poids. Réalise l'expérience suivante et constate-le par toi-même.

Matériel nécessaire

- un cintre
- 2 ballons à gonfler de même grandeur et de même forme
- une aiguille
- 2 bouts de ficelle d'égale longueur

Expérience

1. Gonfle les deux ballons à la même grosseur. Pour t'aider, tu peux compter le nombre d'expirations. Essaie de les faire les plus égales possible.

2. À l'aide des ficelles, suspends un ballon gonflé à chaque extrémité du cintre. Suspends le cintre.

3. Une fois le tout en équilibre, fais éclater un des ballons à l'aide de l'aiguille. Attention de ne pas te blesser, surtout au moment de l'éclatement.

Observe bien

Le ballon rempli d'air est plus lourd et fait basculer le cintre de son côté. Voilà la preuve que l'air a bel et bien un poids !
En météorologie, le poids de l'air est un indice important qui permet de prévoir le temps qu'il fera. De l'air léger circulant au-dessus d'une région crée une zone de haute pression, ou un « anticyclone ». Cette condition amène le beau temps. Inversement, de l'air lourd crée une zone de basse pression, aussi appelée « dépression ». À cet endroit, le temps sera alors nuageux, accompagné de précipitations.

Crée un arc-en-ciel

Suis ces quelques étapes et crée ton propre arc-en-ciel !

Matériel nécessaire

- un verre transparent
- de l'eau
- une feuille de papier blanc
- un peu de soleil

Expérience

1. Remplis le verre d'eau.

2. Tiens le verre face au soleil. De l'autre main, tiens la feuille de papier sous le verre. Assure-toi que la feuille de papier est à l'ombre alors que le verre est au soleil.

Observe bien

La bande de couleurs qui apparaît sur ta feuille de papier est le résultat de la décomposition de la lumière du soleil. Bien qu'elle nous apparaisse blanche, la lumière du soleil est en réalité composée de plusieurs couleurs différentes. Dans ton expérience, l'eau décompose la lumière blanche du soleil et la sépare en sept couleurs : rouge, orange, jaune, vert, bleu, indigo et violet. C'est ce phénomène qui est à l'origine de l'arc-en-ciel qui se forme lorsque le soleil fait une apparition durant une averse. Chaque gouttelette agit alors comme l'eau de ton verre. Ensemble, elles décomposent la lumière blanche du soleil pour produire de magnifiques arcs-en-ciel.

L'effet du chaud et du froid

Essaie cette expérience et tu comprendras pourquoi l'air chaud s'élève tandis que l'air froid reste au sol.

Expérience

Matériel nécessaire

- une bouteille de plastique avec un goulot étroit
- de l'eau chaude
- de l'eau froide et des glaçons
- deux plats avec des rebords (genre moules à gâteau)
- un ballon à gonfler
- une ficelle ou un ruban à mesurer

1. Verse de l'eau chaude dans un des moules à gâteau. Sois prudent !

2. Dans le 2ᵉ moule, verse de l'eau froide et places-y les glaçons.

3. Gonfle un peu le ballon et enfile-le sur le goulot de la bouteille de plastique.

4. Maintiens la bouteille dans l'eau chaude pendant environ 5 minutes.

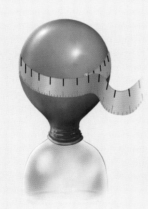

5. À l'aide de ta ficelle ou du ruban à mesurer, mesure le tour du ballon.

6. Mets ensuite la bouteille dans l'eau glacée et maintiens-la ainsi pendant encore 5 minutes environ.

7. Reprends la mesure du ballon.

Observe bien

Le ballon est plus gros lorsque la bouteille trempe dans l'eau chaude. Voici pourquoi. La bouteille plongée dans l'eau chaude (ainsi que l'air qui est à l'intérieur) se réchauffe. En se réchauffant, l'air prend plus d'espace. On dit qu'il se dilate. Il devient plus léger, s'élève vers le haut de la bouteille et pénètre dans le ballon qui se remplit d'air et se gonfle encore plus. En plaçant la bouteille dans l'eau froide, le ballon rapetisse. Plongée dans l'eau froide, la bouteille (ainsi que l'air qu'elle contient) se refroidit. En se refroidissant, l'air occupe moins d'espace. On dit qu'il se contracte. L'air quitte alors le ballon pour retourner dans la bouteille.

Le phénomène qui se produit dans ton expérience se produit aussi dans la nature. Les courants d'air chaud s'élèvent, tandis que l'air froid, plus lourd, a tendance à rester au niveau du sol. C'est ce « déplacement d'air » qui est à l'origine du vent !

Fabrique de la pluie

Toute l'eau de la terre voyage sans arrêt. Réalise cette expérience et observe-le par toi-même !

Expérience

Matériel nécessaire

- un grand bol de verre
- un petit contenant rond (un contenant de yaourt fait très bien l'affaire)
- un mouchoir de papier
- de la ouate
- de la colle
- une grosse roche
- des petits cailloux
- des fleurs et des brins d'herbe
- de la pellicule de plastique
- un gros élastique
- de l'eau

1. Verse un peu d'eau dans le fond du grand bol de verre.

2. Pose un tas de petits cailloux au fond du bol.

3. Place le petit contenant sur le tas de cailloux. Tu peux même le camoufler parmi les cailloux. Prends soin, toutefois, de bien laisser l'ouverture libre.

4. Décore ton tas de cailloux avec des fleurs et des brins d'herbe, pour recréer un environnement naturel autour du petit contenant.

5. Couvre le grand bol de verre d'une pellicule de plastique et attache-la à l'aide du gros élastique. Place la roche sur la pellicule de plastique, de façon à créer un poids qui enfonce la pellicule juste au-dessus du petit contenant.

6. Tu peux coller des morceaux d'ouate sur un mouchoir de papier et envelopper la roche dans le mouchoir pour imiter un nuage. Place le bol de verre au soleil toute la journée.

Observe bien

À la fin de la journée, le petit contenant, qui était vide au départ, contient maintenant de l'eau ! Aussi incroyable que cela puisse paraître, tu as fabriqué de la pluie ! La chaleur du soleil a transformé l'eau dans le grand bol en vapeur invisible qui s'est mise à monter dans le bol. En rencontrant la pellicule de plastique, la vapeur s'est transformée en gouttelettes d'eau qui se sont accumulées sous la roche. Puis ces gouttelettes sont, petit à petit, retombées dans le petit contenant, de la même façon que la pluie retombe sur terre et remplit les lacs.

Tout comme l'eau du grand bol, l'eau à la surface de l'océan se transforme en vapeur grâce au soleil. Dans le ciel, la vapeur d'eau rencontre l'air froid. Cet air froid agit un peu comme la pellicule de plastique et transforme la vapeur en gouttelettes d'eau. L'accumulation de ces milliards de gouttelettes dans le ciel forme les nuages. L'eau retombe ensuite sur terre sous forme de pluie.

Des nuages... juste pour toi !

Réalise cette expérience et fais naître des nuages sous tes yeux...

Matériel nécessaire

• une bouteille de plastique transparent avec un petit goulot
• un cube de glace
• une feuille de papier de couleur foncée
• de l'eau très chaude (plus l'eau est chaude, plus l'expérience est réussie)

Expérience

1. Remplis la bouteille d'eau très chaude. Attention de ne pas te brûler ! Laisse-la reposer pendant 5 minutes pour que la bouteille soit bien chaude.

2. Vide ensuite la bouteille de la moitié de son eau environ.

3. Place le cube de glace sur le goulot de la bouteille. Installe la feuille de papier foncé derrière la bouteille et observe bien.

Observe bien

L'eau chaude dans ta bouteille produit de la vapeur invisible qui monte jusqu'en haut de la bouteille où elle rencontre l'air froid dégagé par le cube de glace. Après quelques minutes, au contact de cet air froid, la vapeur d'eau se refroidit et se condense pour former le nuage que tu vois apparaître sur les parois de ta bouteille. Le même phénomène se produit dans l'atmosphère lorsque se forment les nuages. Lorsqu'elles sont trop grosses et trop lourdes pour flotter, les gouttes d'eau tombent du nuage sous forme de pluie.

Récolte des gouttes de pluie

Grâce à cette expérience, il te sera possible de récolter des gouttes de pluie et d'en observer les différences et la grosseur. Pour ce faire, tu devras attendre une journée de pluie.

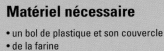

Matériel nécessaire

• un bol de plastique et son couvercle
• de la farine
• une cuillère
• de la pluie

Expérience

1. Recouvre le fond du bol d'environ 2 cm de farine, puis remets le couvercle.

2. Sors sous la pluie. N'oublie pas ton imperméable ! Une fois à l'extérieur, enlève le couvercle du bol et laisse la pluie tomber sur la farine pendant 5 à 10 secondes environ.

3. Remets le couvercle et rentre à l'intérieur. Laisse le tout reposer pendant une vingtaine de minutes.

4. Ouvre le couvercle et, à l'aide de ta cuillère, retire délicatement les gouttes de pluie qui auront durci dans la farine.

Observe bien

Tu as recueilli différentes gouttes de pluie. Tu peux maintenant t'amuser à comparer la grosseur des gouttes. Réalise cette expérience pendant une forte averse et pendant une pluie fine. Compare la grosseur des gouttes obtenues. Que remarques-tu ? En général, le diamètre d'une goutte de pluie est d'environ 2 mm. Mais il peut varier entre 0,5 et 5 mm. Plus la pluie est forte, plus les gouttes de pluie sont grosses.

Glossaire

A

Altitude
Hauteur par rapport au niveau de la mer.

Antarctique
Continent recouvert de glace qui entoure le pôle Sud de la Terre.

Arctique
Terres et mers qui entourent le pôle Nord de la Terre.

Astronome
Spécialiste qui étudie les astres, c'est-à-dire les étoiles, les planètes et les autres corps de l'Univers.

B

Brousse
Terrain sec recouvert d'arbustes et de broussailles.

C

Charge négative
Charge électrique qui contient plus de particules négatives que de particules positives.

Charge positive
Charge électrique qui contient plus de particules positives que de particules négatives.

Climat
Ensemble des phénomènes météorologiques propres à une région de la planète sur une longue période de temps.

Courant
Déplacement de l'eau, de l'air ou de l'électricité dans une certaine direction.

Courant d'air ascendant
Déplacement de l'air vers le haut.

Courant d'air descendant
Déplacement de l'air vers le bas.

Covoiturage
Transport de plusieurs personnes dans une même voiture pour économiser l'essence et réduire le trafic.

Cristal de glace
Particule de glace formée dans un nuage pendant le gel d'une gouttelette d'eau.

D

Diamètre
Longueur de la ligne droite qui traverse un objet rond en passant par son centre.

Donnée
Information qui provient d'une recherche ou d'une observation.

E

Équateur
Ligne imaginaire qui entoure la Terre à mi-chemin des pôles et qui sépare l'hémisphère Nord de l'hémisphère Sud.

Équinoxe
Journée de l'année, au début du printemps ou de l'automne, où le jour et la nuit sont d'égale durée.

F

Forêt tropicale
Zone pluvieuse, située près de l'équateur, où vivent une grande variété de plantes et d'animaux. La chaleur y est constante, la température ne descendant jamais sous 18 °C.

G

Gaz à effet de serre
Gaz qui emprisonnent la chaleur près de la Terre. Le gaz carbonique CO_2, l'oxyde de diazote et le méthane sont des gaz à effet de serre.

Glissement de terrain
Masse de terre qui se détache d'une pente et s'effondre, avec des effets parfois dévastateurs.

Gouttelette d'eau
Minuscule goutte d'eau.

H

Hémisphère
Chacune des moitiés du globe située soit au nord, soit au sud de la ligne équatoriale.

Humidité
Quantité de vapeur d'eau dans l'air.

M

Météorologie
Science qui étudie les divers phénomènes reliés au temps qu'il fait.

O

Orbite
Parcours effectué par un objet ou un astre autour d'un autre astre.

P

Particule électrique
Particule de charge positive ou négative qui produit de l'électricité en attirant une particule de charge opposée.

Point de congélation
Température à laquelle une substance gèle. L'eau gèle à 0 °C.

Point d'ébullition
Température à laquelle une substance bout. L'eau bout à 100 °C.

Pôle
Point situé à l'une des deux extrémités de la Terre par rapport à la ligne imaginaire autour de laquelle la planète semble tourner.

Précipitation
Eau sous forme liquide ou solide qui tombe des nuages et se dépose au sol.

R

Réchauffement global
Augmentation de la température moyenne de la Terre, d'année en année.

Région côtière
Région qui borde l'océan.

S

Savane
Grande étendue d'herbe dans les régions tropicales.

Solstice
Journée la plus longue (solstice d'été) ou la plus courte (solstice d'hiver) de l'année.

Surfusion
État d'une substance qui reste liquide sous son point de congélation.

T

Tropiques
Régions situées près de la ligne équatoriale où la température est chaude toute l'année. Les tropiques s'étendent 2575 km au nord jusqu'au tropique du Cancer et 2575 km au sud jusqu'au tropique du Capricorne.

V

Vapeur d'eau
Eau sous forme de gaz invisible.

Végétation
Ensemble des plantes qui couvrent une région.

Visibilité
Qualité de l'air qui permet de voir plus ou moins loin.

Index

Caractères gras = Entrée principale

Bibliographie

Ahrens, C. Donald. *Meteorology Today*. West Publishing Company, 1994.

Comprendre le climat et l'environnement, la météo. Québec Amérique, 2001.

The Handy Weather Answer Book. Visible Ink Press, 1997.

Weather. Discovery Books, 1999.

Weather. Reader's Digest Explores, 1997.

Williams, Jack. *USA Today, The Weather Book*. Vintage, 1997.

Crédits photos

Page 27, glissement de terrain : © Crealp/Research Center on Alpine Environment/www.crealp.ch

Page 36, gens du désert : photo © www.danheller.com

Page 37, Inuits : © Galen Rowell/CORBIS/Magma

Page 39, tourbillon de poussière : © Inflow Images – Australia

Page 41, incendie de forêt : © Carol Polich/jhstock.com

Page 52, pollution : © Ted Spiegel/CORBIS/Magma

Page 56, météorologue : © Ève Christian

Page 61, station météo automatique : © Martin B. Withers; Frank Lane Picture Agency/CORBIS/Magma

Sites Internet

http://www.usatoday.com/weather/basics/wworks0.htm

http://www.meteo.org/

http://www.msc-smc.ec.gc.ca/

http://beta.weather.com/

http://www.education.noaa.gov/cweather.html

Remerciements

Benoît Allaire

Ville de Montréal

Gilles Brien (Environnement Canada)

Mesures

Plusieurs mesures du livre sont inscrites dans une forme abrégée. Vous trouverez ci-dessous le tableau explicatif de ces abréviations.

Abréviations		
mm	=	millimètre
cm	=	centimètre
m	=	mètre
km	=	kilomètre
km^2	=	kilomètre carré
km/h	=	kilomètre à l'heure
sec	=	seconde

Table de conversion	
Métrique	**Impérial**
1 cm	0.4 pouce
1 m	3.28 pieds
1 km	0.62 mille
10 km	6.21 milles
100 km	62.14 milles